中国工程建设协会标准

金属面绝热夹芯板技术规程

Technical specification for double metal faced insulating sandwich panel

CECS 411：2015

主编单位：哈尔滨工业大学深圳研究生院
　　　　　浙江东南网架股份有限公司
批准单位：中国工程建设标准化协会
施行日期：２０１５年１２月１日

中国计划出版社

2015　北　京

中国工程建设协会标准
金属面绝热夹芯板技术规程
CECS 411:2015

☆

中国计划出版社出版

网址:www.jhpress.com

地址:北京市西城区木樨地北里甲 11 号国宏大厦 C 座 3 层

邮政编码:100038　电话:(010)63906433(发行部)

新华书店北京发行所发行

廊坊市海涛印刷有限公司印刷

850mm×1168mm　1/32　4.25 印张　107 千字
2015 年 11 月第 1 版　2015 年 11 月第 1 次印刷
印数 1—3080 册

☆

统一书号:1580242・824

定价:51.00 元

版权所有　侵权必究

侵权举报电话:(010)63906404

如有印装质量问题,请寄本社出版部调换

中国工程建设标准化协会公告

第213号

关于发布《金属面绝热夹芯板技术规程》的公告

根据中国工程建设标准化协会《关于印发〈2012年第一批工程建设协会标准制订、修订计划〉的通知》（建标协字〔2012〕057号）的要求，由哈尔滨工业大学深圳研究生院和浙江东南网架股份有限公司等单位编制的《金属面绝热夹芯板技术规程》，经本协会轻型钢结构委员会组织审查，现批准发布，编号为CECS 411：2015，自2015年12月1日起施行。

中国工程建设标准化协会
二〇一五年八月十三日

前　言

根据中国工程建设标准化协会《关于印发〈2012年第一批工程建设协会标准制订、修订计划〉的通知》(建标协字〔2012〕057号)的要求,制定本规程。

本规程共分8章和1个附录,主要技术内容包括:总则、术语和符号、材料、基本设计规定、夹芯板计算、连接计算、构造规定、安装等。

本规程由中国工程建设标准化协会轻型钢结构委员会归口管理,由哈尔滨工业大学深圳研究生院(地址:广东省深圳市南山区西丽大学城哈工大深圳研究生院E407,邮政编码:518055)负责解释。

主编单位:	哈尔滨工业大学深圳研究生院
	浙江东南网架股份有限公司
参编单位:	常州晶雪冷冻设备有限公司
	来实建筑系统(上海)有限公司
	烟台万华聚氨酯股份有限公司
	深圳市赤晓建筑科技有限公司
	深圳市波尔玛环保科技有限公司
	多维联合集团有限公司
	深圳市和美建筑节能科技发展有限公司
	中国聚氨酯工业协会异氰酸酯专业委员会
	河南天丰节能板材科技股份有限公司

主要起草人：查晓雄　周观根　伍襫全　郑小青　王晓明
　　　　　　李　力　时宏伟　王保强　李建波　何　挺
　　　　　　曾常阳　唐智荣　孟海奇　胡文悌　代玉娟
主要审查人：周绪红　杜宏彪　陈宝春　肖从真　吴　波
　　　　　　薛伟辰　徐厚军　于敬海　阳　松

目　次

1 总　则 …………………………………………… （ 1 ）
2 术语和符号 ……………………………………… （ 2 ）
　2.1 术语 …………………………………………… （ 2 ）
　2.2 符号 …………………………………………… （ 3 ）
3 材　料 …………………………………………… （ 7 ）
　3.1 金属面板 ……………………………………… （ 7 ）
　3.2 芯材 …………………………………………… （ 7 ）
　3.3 粘结剂 ………………………………………… （ 9 ）
4 基本设计规定 …………………………………… （10）
5 夹芯板计算 ……………………………………… （13）
　5.1 一般规定 ……………………………………… （13）
　5.2 夹芯板内力与变形计算 ……………………… （14）
　5.3 夹芯板应力计算 ……………………………… （23）
　5.4 夹芯板承载力计算 …………………………… （27）
6 连接计算 ………………………………………… （31）
7 构造规定 ………………………………………… （34）
　7.1 夹芯板的支撑 ………………………………… （34）
　7.2 夹芯板之间的连接 …………………………… （34）
　7.3 紧固件 ………………………………………… （37）
　7.4 其他构造 ……………………………………… （40）
8 安　装 …………………………………………… （43）
　8.1 包装 …………………………………………… （43）
　8.2 存放 …………………………………………… （43）
　8.3 装卸 …………………………………………… （43）

8.4 安装	（43）
附录 A 试验方法和要求	（45）
本规程用词说明	（65）
引用标准名录	（66）
附：条文说明	（67）

Contents

1 General provisions .... (1)
2 Terms and symbols .... (2)
   2.1 Terms .... (2)
   2.2 Symbols .... (3)
3 Materials .... (7)
   3.1 Metal face .... (7)
   3.2 Core .... (7)
   3.3 Adhesive .... (9)
4 Basic design requirements .... (10)
5 Double metal faced insulating sandwich panels
   calculation .... (13)
   5.1 General requirements .... (13)
   5.2 Internal forces and deformations calculation .... (14)
   5.3 Sterss calculation .... (23)
   5.4 Bearing capacity calculation .... (27)
6 Connection calculation .... (31)
7 Construction requirements .... (34)
   7.1 Supports for panels .... (34)
   7.2 Connection of panels .... (34)
   7.3 Fastening of panels .... (37)
   7.4 Other construction .... (40)
8 Erection .... (43)
   8.1 Packing .... (43)
   8.2 Storing .... (43)

8.3　Unloading and loading ·································· (43)

8.4　Installation ······································· (43)

Appendix A　Testing methods and requirement ············ (45)

Explanation of wording in this specification ·················· (65)

List of quoted standards ································ (66)

Addition：Explanation of provisions ······················ (67)

1 总　　则

1.0.1 为了使金属面绝热夹芯板的设计与安装贯彻执行国家的技术经济政策，做到技术先进、经济合理、安全适用、确保质量，制定本规程。

1.0.2 本规程适用于工业与民用建筑屋面板（非上人屋面）、墙面板、天花板、内隔墙、声屏障等的设计及安装。

1.0.3 金属面绝热夹芯板的设计与施工除应符合本规程外，尚应符合国家现行有关标准的规定。

2 术语和符号

2.1 术　　语

2.1.1 金属面绝热夹芯板　　double metal faced insulating sandwich panel

由上、下两层较薄金属板材为面板,中间填充绝热轻质芯材,采用一定的成型工艺将二者组合成整体的复合板材。本规程夹芯板分为两种类型:平面或浅压型夹芯板、深压型或压型钢板夹芯板。

2.1.2 面板　　face

夹芯板材上下表面的金属材料。

2.1.3 芯材　　core

上下面板之间的绝热材料。

2.1.4 粘结材料　　bonding material

粘结上下面板和中间绝热芯材并使之成为一个整体的材料。

2.1.5 平面或浅压型夹芯板　　thin metal faced or lightly profiled faced sandwich panel

面板是平面或有轻微凹凸,面板凹凸剖面最大高度不超过3mm,面板自身的弯曲刚度在进行静力分析时可以忽略不计。

2.1.6 深压型或压型钢板夹芯板　　thick metal faced or profiled faced sandwich panel

一层或上下两层面板经过冷压成凹凸型,面板凹凸剖面高度超过3mm,面板自身的弯曲刚度进行静力分析时不能忽略。

2.1.7 紧固件　　fastener

连接夹芯板和支撑框架的构件,是夹芯板连接的重要部分。

2.2 符 号

2.2.1 材料性能：

B_S——板抗弯刚度；

B_{F1}、B_{F2}——上、下面板的弯曲刚度；

f_v——深压型或压型钢板夹芯板面板腹板剪切强度设计值；

f_{Cc}——芯材承压强度标准值；

f_{Ct}——芯材初始抗拉强度；

f_{Cv}——芯材的剪切强度值；

f_{CtD}——芯材老化后的抗拉强度；

F_u——试件剪切破坏时的极限荷载；

G_{Ct}——考虑徐变时芯材剪变模量；

G_C——芯材初始剪变模量；

G_{CD}——芯材老化后的剪变模量；

E_F——面板弹性模量；

E_{F1}、E_{F2}——上、下钢板弹性模量；

E_{DC}——芯材老化后的弹性模量；

τ_C——芯材的剪应力；

σ_{F1}、σ_{F2}——上、下面板的应力；

τ_F——深压型或压型钢板夹芯板面板腹板的剪应力。

2.2.2 作用和作用效应：

S_d——作用组合的效应设计值；

R_d——构件承载力设计值；

M_F——面板单独承担的弯矩；

M_S——夹芯板上、下面板轴力形成的弯矩；

N_{F1}、N_{F2}——上、下面板轴力；

V_F——面板剪力；

V_S——夹芯部分的剪力；

F_2——支座反力；

I_F——面板惯性矩；

τ_C——芯材中剪应力；

σ_{F11}、σ_{F12}——上面板的拉、压应力；

τ_{F1}、τ_{F2}——上、下面板中剪应力；

V_{F1}、V_{F2}——上、下面板承担的剪力；

I_{F1}、I_{F2}——上、下面板横截面的惯性矩；

M_0——开洞区域弯矩；

q——均布荷载；

f——面板抗拉或抗压强度设计值；

G_C——芯材平均剪变模量；

E_C——芯材拉伸和压缩模量的平均值；

E_F——金属面板的弹性模量；

f_{cr}——支座处面板局部稳定设计值；

σ_{Cc}——支座处芯材受压应力；

f_c——支撑构件抗拉强度设计值；

F_{Cu}——试样剪切破坏时芯材承受的荷载；

f_{Cc}——芯材的抗压强度；

I_{F1}、I_{F2}——上、下面板横截面的惯性矩。

2.2.3 几何参数：

t_{nom}——金属面板的公称厚度；

t_{zinc}——镀层的总厚度（mm）；

t_{tol}——国家规定的标准公差；

e——上、下面板中和轴之间距离；

A_F——面板面积；

B——夹芯板宽度；

b——洞口宽度；

A_S——单位宽度芯材面积；

θ——夹芯板的转角;

A_{F1}、A_{F2}——上、下面板的横截面面积;

n_1、n_2——上、下面板宽度 B 范围内腹板数目;

S_{w1}、S_{w2}——上、下面板腹板长度;

h_1、h_2——上、下面板腹板高度;

φ_1、φ_2——上、下面板腹板与翼缘的夹角;

L_s——支承宽度;

w_0——金属面夹芯板初始变形;

L——板长;

t——面板厚度;

d_w——紧固件垫圈或者钉头的直径;

d_n——紧固件公称直径;

t_1——支撑构件的厚度;

A_n——面板的净截面积;

A_{F1}、A_{F2}——上、下钢板横截面面积;

d_v——两个位移传感器之间的距离;

M_u——试验中的极限弯矩,包括板自重及加载装置重量;

t_1——受压面板厚度;

F_G——板自重。

2.2.4 计算系数和其他:

j_t——徐变系数;

n——老化速率系数;

T——温度;

R——湿度;

M、N、C——老化常数;

γ_0——结构重要性系数;

k——剪切刚度影响参数;

α_F——面板的热膨胀系数;

β_1、β_2、β_3 —— 参数；

b_{oq}、b_{Sq} —— 参数；

β_{oT}、β_{ST} —— 参数；

β —— 折减系数；

K_B —— 变形系数；

n —— 截面折减系数；

k_f —— 分布系数；

k_q —— 屈曲系数；

n_F —— 面板材料的泊松比；

γ_C —— 芯材剪切强度材料分项系数；

k_w —— 参数；

α —— 参数；

$\bar{x}$ —— 试验平均值；

k_s —— 分位系数；

s_x —— 标准差；

Δw —— 荷载-跨中变形曲线中荷载增量 ΔF 对应的线性斜率部分的变形。

3 材　料

3.1 金属面板

3.1.1 彩色涂层钢板应符合现行国家标准《彩色涂层钢板及钢带》GB/T 12754中的有关规定，其中基板公称厚度不得小于0.5mm。

3.1.2 压型钢板应符合现行国家标准《建筑用压型钢板》GB/T 12755中的有关规定，其中基板的公称厚度不得小于0.5mm。

3.1.3 铝板应符合现行国家标准《建筑装饰用铝单板》GB/T 23443中的有关规定，其中基板公称厚度不得小于0.7mm。铝镁锰合金板也可按本条规定执行。

3.1.4 不锈钢板应符合现行国家标准《不锈钢热轧钢板和钢带》GB/T 4237中的有关规定，其中基板公称厚度不得小于0.5mm。

3.1.5 金属面板各种力学性能指标应按本规程附录A中的试验方法确定。

3.2 芯　材

3.2.1 硬质泡沫芯材应符合下列规定：

1 模塑/挤塑聚苯乙烯泡沫塑料（EPS/XPS）应符合现行国家标准《建筑用金属面绝热夹芯板》GB/T 23932中的有关规定，且EPS密度不应小于$20kg/m^3$，XPS密度不应小于$25kg/m^3$。

2 硬质酚醛泡沫塑料（PF）应符合现行国家标准《绝热用硬质酚醛泡沫制品（PF）》GB/T 20974中的有关规定，压缩强度不得小于100kPa。承受动力和往复荷载的屋面和天花板不宜采用。

3 硬质聚氨酯泡沫塑料（PU）应符合现行国家标准《建筑用金属面绝热夹芯板》GB/T 23932中的有关规定。

4 多异氰脲酸酯(聚异氰脲酸酯)(PIR)应符合现行国家标准《建筑用金属面绝热夹芯板》GB/T 23932中有关硬质聚氨酯泡沫塑料的规定,其中用于与金属面复合的物理力学性能应符合类型Ⅱ的规定,平均密度不得小于40kg/m³,导热系数应满足0.020W/(m·K)～0.0225W/(m·K),闭孔率不应少于92%。

3.2.2 无机芯材应符合下列规定:

1 岩棉应符合现行国家标准《建筑用金属面绝热夹芯板》GB/T 23932中的有关规定,纤维朝向应采用垂直面板形式。分为普通岩棉和结构岩棉两种,相同密度下结构岩棉比普通岩棉有更好的物理和力学性能。

2 矿渣棉和玻璃棉应符合现行国家标准《建筑用金属面绝热夹芯板》GB/T 23932中的有关规定。

3.2.3 芯材板各种力学性能指标应按本规程附录A中的试验方法确定。

3.2.4 芯材的剪变模量应按本规程附录A中第A.2.4条的试验确定,在没有试验的情况下可根据表3.2.4取值。

表3.2.4 芯材的剪变模量 G_C 取值

芯 材	剪变模量(MPa)	芯 材	剪变模量(MPa)
聚苯乙烯	$2.070\times(\rho/17.8)^2$	酚醛	$2.100\times(\rho/52.5)^2$
聚氨酯	$1.725\times(\rho/38)^2$	多异氰脲酸酯	$1.725\times(\rho/38)^2$
普通岩棉	$1.700\times\rho/100$	结构岩棉	$2.000\times\rho/100$
玻璃棉	$2.682\times\rho/100$	—	—

注:ρ为芯材密度(kg/m³)。

3.2.5 考虑徐变影响时,芯材剪变模量 G_{Ct} 应按下式计算:

$$G_{Ct} = \frac{G_C}{1+\phi_t} \quad (3.2.5)$$

式中:G_{Ct}——考虑徐变时芯材剪变模量;

G_C——芯材初始剪变模量;

ϕ_t——徐变系数,应按本规程附录A中第A.2.7条通过试验测得。在没有准确试验数据的情况下,对于聚苯乙烯、聚氨酯:2000h 情况下,$\phi_t=2.4$;100000h 情况下,$\phi_t=7.0$。对于岩棉、玻璃棉:2000h 的情况下,$\phi_t=1.0$;100000h 的情况下,$\phi_t=2.0$。

3.2.6 芯材抗拉强度 f_{Ct} 和老化后抗拉强度 f_{CtD} 应按本规程附录 A 中第 A.2.2、第 A.1.4 条的有关抗拉和老化试验确定。如果没有试验数据,老化后抗拉强度值 f_{CtD} 也可按下列公式计算:

$$f_{CtD} = f_{Ct} \times t^{-n} \quad (3.2.6\text{-}1)$$

$$n = e^{\frac{M}{T+273.15}+N \cdot R+C} \quad (3.2.6\text{-}2)$$

式中: t——时间(h);

f_{Ct}——芯材初始抗拉强度(MPa);

n——老化速率系数;

T——温度(℃);

R——湿度(%);

M、N、C——老化常数,应按表 3.2.6 的规定取值。

表 3.2.6 芯材老化常数

芯材	M	N	C
岩棉	−5500	0.057	9.00
玻璃棉	−5700	0.054	9.76
环戊烷聚氨酯	−2500	0.026	3.00

3.3 粘 结 剂

3.3.1 粘结剂应有比芯材具有更高的强度和耐久性、更低的热敏感性等性能。

3.3.2 粘结剂应符合相关标准的规定。其中甲醛含量应达到现行国家标准《室内装饰装修材料人造板及其制品中甲醛释放限量》GB 18580 标准中 E1 级的有关规定,释放量应小于 1.5mg/L。

4 基本设计规定

4.0.1 夹芯板承受的重力荷载、风荷载等荷载及荷载组合应符合现行国家标准《建筑结构荷载规范》GB 50009 的有关规定。

4.0.2 夹芯板面板承受的温度作用应按下列规定取值:

1 外部面板的温度值 T_1 应符合下列规定:

冬季:取当地温度记录的最低值。有覆盖雪荷载的屋面板,外部温度为 0℃;

夏季:对承载力极限状态:$T_1=80℃$。对正常使用极限状态:第一级颜色,$T_1=55℃$;第二级颜色,$T_1=65℃$;第三级颜色,$T_1=80℃$。

颜色等级划分应符合表 4.0.2 的规定。

表 4.0.2 颜色等级划分

第一级颜色(颜色极浅)	第二级颜色(浅色)	第三级颜色(深色)
浅灰色、乳白色	沙黄色、淡蓝色、灰绿、浅绿色、橄榄绿、橄榄灰	鲜蓝色、棕褐色、煤灰色

当夹芯板前面设置有通风幕墙时,外层面板的温度值应根据幕墙的透明程度及外层面板和幕墙之间的空气流动由计算确定,但 T_1 值不应低于 40℃。

2 内部面板的温度值 T_2 应符合下列规定:

冬季取 20℃,夏季取 25℃。

在室内环境温度被设备控制的特殊情况下,T_2 值可取为设备工作温度。

4.0.3 连接处应考虑下列荷载作用:

1 风吸力和面板温差引起的拉力荷载;

2 板自重;

3 板上额外构件的重量;
4 面板的温差膨胀及可能的膜作用引起的剪力荷载。

对承受重复荷载的连接,应按本规程附录 A 中第 A.2.18 条中的试验方法考虑其影响。

4.0.4 长期荷载下,时间对夹芯板芯材剪变模量的影响应符合本规程第 3.2.4 条的规定,老化对夹芯板芯材抗拉强度的影响应符合本规程第 3.2.6 条的规定。

4.0.5 在可能受冲击荷载及震动影响的建筑物中,夹芯板应符合本规程附录 A 中第 A.2.17 条中的有关规定。

4.0.6 面板厚度应控制在 0.5mm～2.0mm,夹芯板总厚度应控制在 30mm～300mm。平面或浅压型面板凹凸剖面最大高度应小于或等于 3mm,深压型或压型面板凹凸剖面高度应大于 3mm(图 4.0.6)。

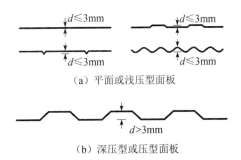

(a)平面或浅压型面板

(b)深压型或压型面板

图 4.0.6 面板剖面图

4.0.7 夹芯板设计,应按承载能力极限状态和正常使用极限状态进行设计。

4.0.8 夹芯板的承载力应按下式验算:

$$\gamma_0 S_d \leqslant R_d \qquad (4.0.8)$$

式中:γ_0——结构重要性系数,对安全等级为一级的结构构件,不应小于 1.1;对安全等级为二级的结构构件,不应小于 1.0;

S_d——作用组合的效应设计值；

R_d——构件承载力设计值。

4.0.9 夹芯板变形限值应满足下列规定，夹芯板变形应按本规程第5.2节计算：

1 屋面板和天花板：短期荷载引起的挠度，不应超过跨度的1/200；长期荷载引起的挠度（包括徐变影响），不应超过跨度的1/100。

2 墙面板：挠度不应超过跨度的1/100。

4.0.10 屋面板设计应符合下列规定：

1 防雨水和雪；

2 隔气；

3 接头可维修和控制；

4 密封胶能够更换，密封性保持至少10年到15年。

5 夹芯板计算

5.1 一般规定

5.1.1 有镀层金属面板的设计厚度应按下式计算：

$$t_{d} = t_{nom} - t_{zinc} - 0.5 t_{tol} \quad (5.1.1)$$

式中：t_{nom}——金属面板的公称厚度（mm）；

t_{zinc}——镀层的总厚度（mm）。无镀层金属面板如铝面板取0；

t_{tol}——国家规定的标准公差（mm）。

5.1.2 夹芯板内力（图5.1.2-1、图5.1.2-2）应由以下几部分组成：

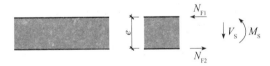

图5.1.2-1 平面或浅压型夹芯板内力图

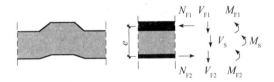

图5.1.2-2 深压型或压型钢板夹芯板内力图

1 弯矩 M 组成应按下列公式计算：

$$M = M_F + M_S \quad (5.1.2-1)$$
$$M_S = -N_{F1} e = N_{F2} e \quad (5.1.2-2)$$

式中：M_F——面板单独承担的弯矩（N·mm），对平面或浅压型夹芯板取0，对深压型或压型钢板夹芯板按本规程第

5.2 节的规定取值;

M_S——夹芯板上、下面板轴力形成的弯矩(N·mm),按本规程第 5.2 节的规定取值;

N_{F1}、N_{F2}——上、下面板轴力(N),大小相等方向相反;

e——上、下面板中和轴之间距离(mm)。

2 剪力 V 组成应按下列公式计算:

$$V = V_F + V_S \tag{5.1.2-3}$$

式中:V_F——面板剪力(N),对平面或浅压型夹芯板取 0,对深压型或压型钢板夹芯板应按本规程第 5.2 节的规定取值;

V_S——夹芯部分的剪力(N),按本规程第 5.2 节的规定取值。

5.2 夹芯板内力与变形计算

5.2.1 平面或浅压型夹芯板内力与变形应按下列规定计算:

1 均布荷载 q 作用下的单跨板应符合下列规定:

1) 平面或浅压型夹芯板的内力应按下列公式计算(图 5.2.1-1):

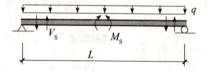

图 5.2.1-1 均布荷载作用下的单跨平面或浅压型夹芯板

$$M_{F1} = M_{F2} = 0 \tag{5.2.1-1}$$

$$V_{F1} = V_{F2} = 0 \tag{5.2.1-2}$$

$$M_S = \frac{qL^2}{8} \tag{5.2.1-3}$$

$$V_S = \frac{qL}{2} \tag{5.2.1-4}$$

式中：M_{F1}、M_{F2}——上、下面板单独承担弯距(N·mm)；
V_{F1}、V_{F2}——上、下面板剪力(N)。

2）平面或浅压型夹芯板的挠度应按下列公式计算：

$$w = \frac{5}{384} \times \frac{qL^4}{B_S}\left(1+\frac{16}{6}k\right) \quad (5.2.1-5)$$

$$k = \frac{3B_S}{L^2 G_C A_S} \quad (5.2.1-6)$$

$$B_S = \frac{E_{F1}A_{F1}E_{F2}A_{F2}}{(E_{F1}A_{F1}+E_{F2}A_{F2})}e^2 \quad (5.2.1-7)$$

$$A_S = e \quad (5.2.1-8)$$

式中： k——剪切刚度影响参数；
B_S——板抗弯刚度(N·mm^2)；
G_C——芯材的剪变模量(MPa)；
E_{F1}、E_{F2}——上、下面板弹性模量(MPa)；
A_{F1}、A_{F2}——上、下面板面积(mm^2)；
A_S——单位宽度芯材面积(mm^2)。

3）面板温度荷载的影响应符合下列规定（图5.2.1-2）：

面板温度荷载不应增加单跨简支夹芯板内力和应力，只能改变挠度。

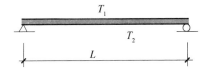

图5.2.1-2 温度荷载作用下的单跨平面或浅压型夹芯板

$$M_{F1} = M_{F2} = 0 \quad (5.2.1-9)$$

$$V_{F1} = V_{F2} = 0 \quad (5.2.1-10)$$

$$M_S = 0 \quad (5.2.1-11)$$

$$V_S = 0 \quad (5.2.1-12)$$

当夹芯板两侧温差为 $\Delta T = T_2 - T_1$ 时，跨中挠度应按下列公式计算：

$$w = \frac{\theta L^2}{8} \quad (5.2.1\text{-}13)$$

$$\theta = \frac{\alpha_{F2} T_2 - \alpha_{F1} T_1}{e} \quad (5.2.1\text{-}14)$$

式中：θ——夹芯板的转角；

α_{F1}、α_{F2}——上、下面板的热膨胀系数。

2 均布荷载作用下的多跨连续板应符合下列规定(图 5.2.1-3)：

1) 平面或浅压型多跨连续板的内力应按下列公式计算：

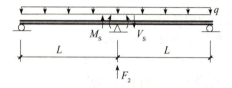

图 5.2.1-3 均布荷载作用下的多跨连续平面或浅压型夹芯板

$$M_{F1} = M_{F2} = 0 \quad (5.2.1\text{-}15)$$

$$V_{F1} = V_{F2} = 0 \quad (5.2.1\text{-}16)$$

$$M_S = \frac{qL^2}{8} \times \frac{1}{1+k} \quad (5.2.1\text{-}17)$$

$$F_2 = qL\left[1 + \frac{1}{4(1+k)}\right] \quad (5.2.1\text{-}18)$$

$$V_S = \pm \frac{qL}{2}\left[1 + \frac{1}{4(1+k)}\right] \quad (5.2.1\text{-}19)$$

式中：F_2——支座反力(N)。

2) 平面或浅压型连续两跨连续夹芯板跨中挠度最大值应按下列公式计算(x 在 $0.375L$ 和 $0.5L$ 之间)：

$$w = \frac{1}{48} \times \frac{qL^4}{B_S} \times \frac{0.26 + 2.625k + 2k^2}{1+k} \quad (5.2.1\text{-}20)$$

3) 温度荷载作用下平面或浅压型多跨连续夹芯板的内力应按下列公式计算(图 5.2.1-4)：

$$M_{F1} = M_{F2} = 0 \quad (5.2.1\text{-}21)$$

$$V_{F1} = V_{F2} = 0 \quad (5.2.1\text{-}22)$$

$$M_S = \frac{3B_S\theta}{2} \times \frac{1}{1+4k} \quad (5.2.1\text{-}23)$$

$$F_2 = \frac{3B_S\theta}{L} \times \frac{1}{1+4k} \quad (5.2.1\text{-}24)$$

$$V_S = \pm \frac{3B_S\theta}{2L} \times \frac{1}{1+4k} \quad (5.2.1\text{-}25)$$

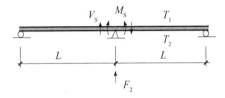

图 5.2.1-4 温度荷载作用下的多跨连续平面或浅压型夹芯板

跨中挠度最大值应按下式计算($x=L/2$)：

$$w = \frac{\theta L^2}{32} \times \frac{1+1.25k}{1+4k} \quad (5.2.1\text{-}26)$$

5.2.2 深压型或压型钢板夹芯板内力与变形应按下列规定计算：

1 均布荷载作用下的单跨板应符合下列规定(图 5.2.2-1)：

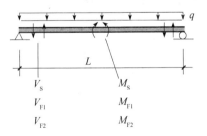

图 5.2.2-1 均布荷载作用下的单跨深压型或压型钢板夹芯板

1) 深压型或压型钢板夹芯板内力应按下列公式计算：

$$M_{F1} = \beta_1 \beta_q \frac{qL^2}{8} \quad (5.2.2\text{-}1)$$

$$M_{F2} = \beta_2 \beta_q \frac{qL^2}{8} \quad (5.2.2\text{-}2)$$

$$M_S = (1 - \beta_q) \frac{qL^2}{8} \quad (5.2.2\text{-}3)$$

$$V_S = \frac{qL}{2} \quad (5.2.2\text{-}4)$$

$$\beta_1 = \frac{B_{F1}}{B_{F1} + B_{F2}} \quad (5.2.2\text{-}5)$$

$$\beta_2 = \frac{B_{F2}}{B_{F1} + B_{F2}} \quad (5.2.2\text{-}6)$$

$$\beta_q = \frac{B_{F1} + B_{F2}}{B_{F1} + B_{F2} + \dfrac{B_s}{1+k_q}} \quad (5.2.2\text{-}7)$$

$$B_{F1} = E_{F1} I_{F1} \quad (5.2.2\text{-}8)$$
$$B_{F2} = E_{F2} I_{F2} \quad (5.2.2\text{-}9)$$

式中：B_{F1}、B_{F2}——上、下面板的弯曲刚度（$N \cdot mm^2$）；

β_1、β_2、β_q——参数；

I_{F1}、I_{F2}——上、下面板惯性矩（mm^4）。

2）深压型或压型钢板夹芯板变形应按下列公式计算：

$$w_S = \frac{5}{384} \times \frac{q_S L^4}{B_S}(1+k_q)(1+\beta_q) \quad (5.2.2\text{-}10)$$

$$B_S = \frac{E_{F1} A_{F1} E_{F2} A_{F2}}{E_{F1} A_{F1} + E_{F2} A_{F2}} e^2 \quad (5.2.2\text{-}11)$$

$$k_q = \frac{9.6 B_S}{L^2 G_C A_S} \quad (5.2.2\text{-}12)$$

$$A_S = e \quad (5.2.2\text{-}13)$$

3）在温度荷载的作用下夹芯板的内力和变形应按下列公式计算（图5.2.2-2）：

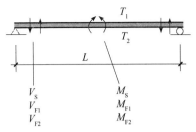

图 5.2.2-2 温度荷载作用下的单跨深压型或压型钢板夹芯板

$$M_{F1} = \beta_1(1-\beta_T)(B_{F1}+B_{F2})\theta \quad (5.2.2\text{-}14)$$

$$M_{F2} = \beta_2(1-\beta_T)(B_{F1}+B_{F2})\theta \quad (5.2.2\text{-}15)$$

$$M_S = -\beta_1(1-\beta_T)(B_{F1}+B_{F2})\theta \quad (5.2.2\text{-}16)$$

$$w_{0.5} = \frac{\theta L^2}{8}(1-\beta_T) \quad (5.2.2\text{-}17)$$

$$\beta_1 = \frac{B_{F1}}{B_{F1}+B_{F2}} \quad (5.2.2\text{-}18)$$

$$\beta_2 = \frac{B_{F2}}{B_{F1}+B_{F2}} \quad (5.2.2\text{-}19)$$

$$\beta_T = \frac{B_{F1}+B_{F2}}{B_{F1}+B_{F2}+\dfrac{B_S}{1+k_T}} \quad (5.2.2\text{-}20)$$

$$k_T = \frac{8B_S}{L^2 G_C A_S} \quad (5.2.2\text{-}21)$$

2 均布荷载作用下的多跨连续板应符合下列规定：

1）上面板为深压型或压型钢板、下面板为平面或浅压型两跨连续夹芯的内力应按下列公式计算（图 5.2.2-3）：

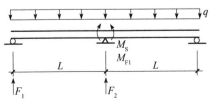

图 5.2.2-3 均布荷载作用下的多跨连续深压型或压型钢板夹夹芯板

$$M_{F1} = \frac{\beta_{0q}}{1+\beta_{Sq}} M \quad (5.2.2\text{-}22)$$

$$M_S = \frac{1-\beta_{0q}}{1+\beta_{Sq}} M \quad (5.2.2\text{-}23)$$

$$M = \frac{qL^2}{8} \quad (5.2.2\text{-}24)$$

$$k = \frac{B_S}{G_C A_S L^2} \quad (5.2.2\text{-}25)$$

$$A_S = e \quad (5.2.2\text{-}26)$$

$$B_{F1} = E_{F1} I_{F1} \quad (5.2.2\text{-}27)$$

$$B_S = \frac{E_{F1} A_{F1} E_{F2} A_{F2}}{E_{F1} A_{F1} + E_{F2} A_{F2}} \times \frac{e^2}{B} \quad (5.2.2\text{-}28)$$

$$B_D = B_{F1} + B_{F2} = E_{F1} I_{F1} + E_{F2} I_{F2} \quad (5.2.2\text{-}29)$$

式中：β_{0q}、β_{Sq}——参数，根据参数 k 和 B_D/B_S，可按图 5.2.2-4 取值。

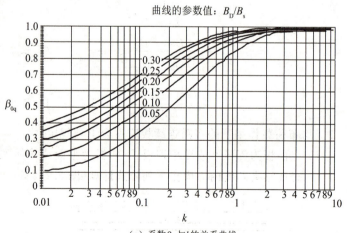

（a）系数 β_{0q} 与 k 的关系曲线

曲线的参数值：B_D/B_s

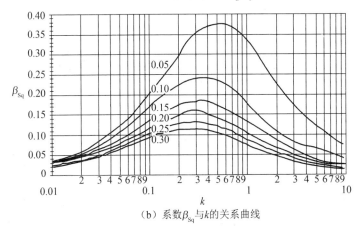

（b）系数β_{Sq}与k的关系曲线

图 5.2.2-4　等跨双跨板均布荷载作用的β_{0q}、β_{Sq}的取值

2） 温度荷载作用下，上面板是深压型或压型钢板、下面板平面或浅压型两跨连续夹芯板内力应按下列公式计算（图 5.2.2-5）：

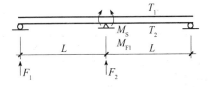

图 5.2.2-5　温度荷载作用下的两跨连续深压型或压型钢板夹芯板

$$M_{F1} = -\beta_{ST}\theta B_D \quad (5.2.2\text{-}30)$$

$$M_S = \left(\frac{1}{\beta_{0T}} - 1\right)B_D \quad (5.2.2\text{-}31)$$

$$B_D = B_{F1} \quad (5.2.2\text{-}32)$$

$$k = \frac{B_S}{SL^2} \quad (5.2.2\text{-}33)$$

式中:β_{0T}、β_{ST}——参数,根据参数 k 和 B_D/B_S,可按图 5.2.2-6 取值。

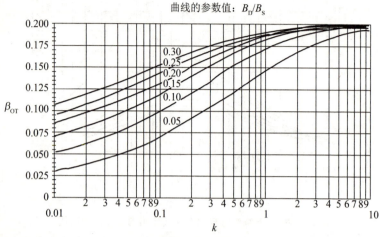

(a) 系数β_{0T}与k的关系曲线

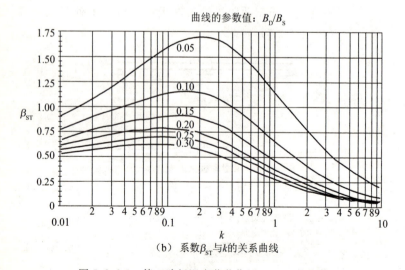

(b) 系数β_{ST}与k的关系曲线

图 5.2.2-6 等双跨板温度荷载作用β_{0T}、β_{ST}的取值

5.2.3 开洞平面或浅压型夹芯板变形应按下列规定计算:

均布荷载 q 作用下,当夹芯板跨中洞口对称时,夹芯板跨中最大变形应按下列公式计算:

$$w_{o,\max} = \frac{\beta q L^4}{384 B_S}(5K_B + 16k) \quad (5.2.3-1)$$

当 $0.1 \leqslant b/B \leqslant 0.5$, $K_B = 0.093\left(\dfrac{b}{B}\right)^2 + 0.444\dfrac{b}{B} + 0.965$

$$(5.2.3-2)$$

当 $0.5 < b/B \leqslant 0.8$, $K_B = 12\left(\dfrac{b}{B}\right)^2 - 13.3\dfrac{b}{B} + 4.93$

$$(5.2.3-3)$$

$$k = \frac{3B_S}{L^2 G_C A_S} \quad (5.2.3-4)$$

式中:β——折减系数,在 0.84~1.01 之间取值,可取均值 0.905;

B——夹芯板宽度(mm);

L——板长(mm);

b——洞口宽度(mm);

K_B——变形系数;

k——剪力影响因子。

开洞面积小于 5% 时,可忽略开洞对板的影响,按照完整板计算。

5.3 夹芯板应力计算

5.3.1 平面或浅压型夹芯板中的应力(图 5.3.1)应按下列公式计算:

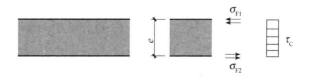

图 5.3.1 平面或浅压型夹芯板中的应力

$$\sigma_{F1} = \frac{N_{F1}}{A_{F1}} = -\frac{M_S}{eA_{F1}} \qquad (5.3.1\text{-}1)$$

$$\sigma_{F2} = \frac{N_{F2}}{A_{F2}} = \frac{M_S}{eA_{FS}} \qquad (5.3.1\text{-}2)$$

$$\tau_C = \frac{V_S}{eB} \qquad (5.3.1\text{-}3)$$

式中：σ_{F1}、σ_{F2}——上、下面板的应力（MPa）；
　　　A_{F1}、A_{F2}——上、下面板的横截面面积（mm²）；
　　　I_{F1}、I_{F2}——上、下面板横截面的惯性矩（mm⁴）；
　　　τ_C——芯材中剪应力（MPa）；
　　　B——板宽（mm）。

5.3.2 深压型或压型钢板夹芯板中的应力（图5.3.2）应按下列公式计算：

$$\sigma_{F11} = \sigma_{F1} + \frac{M_{F1}}{I_{F1}}d_{11} \qquad (5.3.2\text{-}1)$$

$$\sigma_{F12} = \sigma_{F1} - \frac{M_{F1}}{I_{F1}}d_{12} \qquad (5.3.2\text{-}2)$$

$$\sigma_{F21} = \sigma_{F2} - \frac{M_{F2}}{I_{F2}}d_{21} \qquad (5.3.2\text{-}3)$$

$$\sigma_{F22} = \sigma_{F2} + \frac{M_{F2}}{I_{F2}}d_{22} \qquad (5.3.2\text{-}4)$$

$$\tau_C = \frac{V_S}{eB} \qquad (5.3.2\text{-}5)$$

$$\tau_{F1} = \frac{V_{F1}}{n_1 S_{w1} t_1} \qquad (5.3.2\text{-}6)$$

$$\tau_{F2} = \frac{V_{F2}}{n_2 S_{w2} t_2} \qquad (5.3.2\text{-}7)$$

$$S_{w1} = h_1/\sin\varphi_1 \qquad (5.3.2\text{-}8)$$

$$S_{w2} = h_2/\sin\varphi_2 \qquad (5.3.2\text{-}9)$$

式中：σ_{F11}、σ_{F12}——上、下面板的拉压应力（MPa）；
　　　τ_{F1}、τ_{F2}——上、下面板中剪应力（MPa）；

V_{F1}、V_{F2}——上、下面板承担的剪力(N);

I_{F1}、I_{F2}——上、下面板横截面的惯性矩(mm^4);

n_1、n_2——上、下面板宽度 B 范围内腹板数目;

S_{w1}、S_{w2}——上、下面板腹板长度(mm);

h_1、h_2——上、下面板腹板高度(mm);

φ_1、φ_2——上、下面板腹板与翼缘的夹角(°)。

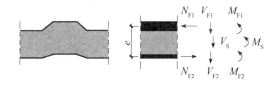

图 5.3.2 深压型或压型钢板夹芯板中的应力

5.3.3 当满足 $2a/b=0.5\sim2.0$,且洞口宽边距离夹芯板的纵向最小距离大于或等于 100mm 与 $0.1B$ 的最小值时,有开洞平面或浅压型夹芯板面板(图 5.3.3)的应力应按下列公式计算:

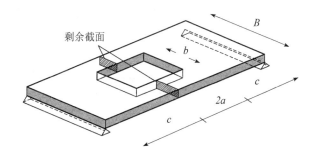

图 5.3.3 平面及浅压型夹芯板开洞

$$\sigma_F = \pm \frac{M_0}{e(B-b)t} \quad (5.3.3\text{-}1)$$

$$M_0 = q\left(\frac{1}{2}na^2 + nac + \frac{1}{2}c^2\right) \quad (5.3.3\text{-}2)$$

$$n = 1 - \frac{b}{B} \qquad (5.3.3\text{-}3)$$

式中：M_0——开洞区域弯矩（N·mm）；

q——均布荷载（N/mm²）；

n——截面折减系数；

a、b、c——开洞截面参数。

5.3.4 支座处芯材压应力的计算应符合下列规定：

1 端部支座处芯材的受压应力（图5.3.4）应按下式计算：

$$\sigma_{Ccd} = \frac{F}{B(L_s + k_f \cdot e/2)} \qquad (5.3.4\text{-}1)$$

2 中间支座处芯材的受压应力（图5.3.4）应按下式计算：

$$\sigma_{Ccd} = \frac{F}{B(L_s + k_f \cdot e)} \qquad (5.3.4\text{-}2)$$

式中：k_f——分布系数，应按本规程附录 A 中第 A.2.10 条中的试验来确定。在缺少试验结果的情况下，对硬质塑性泡沫材料，取 $k=0.5$；对矿物棉，$k=0$。

L_s——支承宽度（mm）；

e——上、下面层中心线间的距离（mm）。当 $e>100$mm 时，取 $e=100$mm。

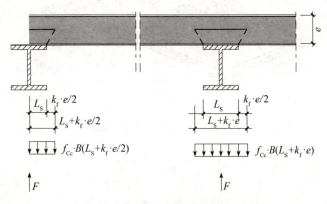

图 5.3.4 支座处抗力图

5.4 夹芯板承载力计算

5.4.1 面板强度应满足下式要求(图 5.4.1):

$$\sigma_F \leqslant f \qquad (5.4.1)$$

式中:σ_F——面板拉或压应力(MPa),应按本规程第5.3节计算;

f——面板抗拉或抗压强度设计值(MPa),应按本规程附录A中第A.2.1条中的试验进行确定。

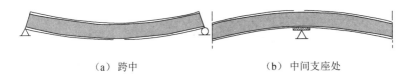

(a) 跨中　　　　　　(b) 中间支座处

图 5.4.1　面板拉伸或压缩破坏

5.4.2 面板局部稳定性应符合下列规定(图5.4.2):

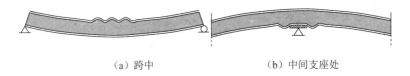

(a) 跨中　　　　　　(b) 中间支座处

图 5.4.2　局部稳定

1 平表面及浅压型夹芯板面板的皱曲稳定承载力应按本规程附录A试验确定,也可按下式计算:

$$\sigma_F \leqslant k_q \sqrt[3]{E_C G_C E_F} \qquad (5.4.2-1)$$

式中:k_q——屈曲系数,在0.5～0.65范围内,对于聚氨酯芯材可取0.65,其他情况取0.5;

G_C——芯材平均剪变模量(MPa),应按本规程第3.2.4条中的规定取值;

E_C——芯材拉伸和压缩模量的平均值(MPa),应按本规程附录A中第A.2.2条中的试验进行确定;

E_F——金属面板的弹性模量(MPa),应按本规程附录A中第 A.2.1 条中的试验进行确定。

考虑芯材老化后面板的皱曲稳定承载力按附录 A 试验确定,也可按下列公式计算:

$$\sigma_F \leqslant \frac{k\sqrt[3]{E_C G_C E_F}}{1+\frac{12}{5l}\sqrt{E_{CD} G_{CD}}\,\dfrac{w_0}{f_{CtD}}} \quad (5.4.2\text{-}2)$$

$$w_0 = \frac{L}{500} \quad (5.4.2\text{-}3)$$

式中:w_0——夹芯板初始变形(mm);

L——板长(mm);

E_{CD}——芯材老化后的弹性模量(MPa),应按本规程附录 A 中第 A.1.4 条中的试验进行确定;

G_{CD}——芯材老化后的剪变模量(MPa),应按本规程附录 A 中第 A.1.4 条中的试验进行确定;

f_{CtD}——芯材老化后的抗拉强度(MPa),应按本规程附录 A 中第 A.1.4 条中的试验进行确定。

均布荷载下有开洞的平表面及浅压型夹芯板面板的皱曲稳定承载力应按本规程附录 A 试验确定,也可按下列公式计算:

$$\sigma_F \leqslant k\sqrt[3]{E_C G_C E_F}\,\frac{L^2}{4a^2+8ac+\dfrac{4c^2}{n}} \quad (5.4.2\text{-}4)$$

$$n = 1-\frac{b}{B} \quad (5.4.2\text{-}5)$$

式中:a、b、c、B——截面参数。

2 深压型或压型钢板夹芯板面板的屈曲稳定承载力应按本规附录 A 试验确定,也可按下列公式计算:

当 $1.27\sqrt{\dfrac{E_F}{f}} \leqslant \dfrac{b}{t} \leqslant 500$ 时:

$$\sigma_F \leqslant \sqrt{f\sigma_{cr}} - 0.22\sigma_{cr} \quad (5.4.2\text{-}6)$$

$$\sigma_{cr} = \frac{\pi^2 E_F}{3(1-\upsilon_F^2)} \left(\frac{t}{b}\right)^2 \quad (5.4.2\text{-}7)$$

式中：υ_F——面板材料的泊松比；

t——面板厚度(mm)；

b——面板宽度(mm)。

3 支座处面板的局部稳定性应按下式计算：

$$\sigma_F \leqslant f_{cr} \quad (5.4.2\text{-}8)$$

式中：f_{cr}——支座处面板局部稳定设计值(MPa)，应按本规程附录 A 中第 A.2.8 条中的有关试验确定。

5.4.3 芯材的剪切强度应满足下式要求(图 5.4.3)：

$$\tau_C \leqslant f_{Cv}/\gamma_C \quad (5.4.3)$$

式中：τ_C——芯材的剪应力(MPa)，应按本规程第 5.3 节计算；

f_{Cv}——芯材的剪切强度值(MPa)，应根据本规程附录 A 中第 A.2.4 和 A.2.5 条的有关试验确定；

γ_C——芯材剪切强度材料分项系数，取 2.0。

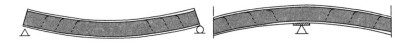

(a) 跨中　　　　　　　　(b) 中间支座处

图 5.4.3 芯材剪切破坏

5.4.4 深压型或压型钢板夹芯板面板剪切强度应满足下列公式要求(图 5.4.4)：

$$\tau_F \leqslant f_v \quad (5.4.4\text{-}1)$$

$$f_v = \frac{f}{\sqrt{3}} \quad (5.4.4\text{-}2)$$

式中：τ_F——深压型或压型钢板夹芯板面板腹板的剪应力(MPa)，应按本规程第 5.3 节计算；

f_v——深压型或压型钢板夹芯板面板腹板剪切强度设计值

（MPa），应按本规程附录 A 中第 A.2.1 条中的试验进行确定。

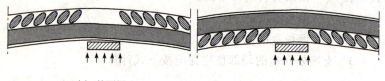

(a) 外面板　　　　　　　(b) 内面板

图 5.4.4　深压型或压型钢板夹芯板面板剪切破坏

5.4.5 夹芯板支座处芯材承压强度应满足下式要求（图 5.4.5）：

$$\sigma_{Cc} \leqslant f_{Cc}/\gamma_C \quad (5.4.5)$$

式中：σ_{Cc}——支座处芯材受压应力（MPa），应按本规程第 5.3.4 条确定；

　　　f_{Cc}——芯材承压强度标准值（MPa），应按本规程附录 A 中第 A.2.3 条的有关试验确定。

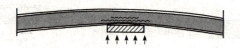

图 5.4.5　支座处芯材破坏

6 连接计算

6.0.1 夹芯板连接的拉伸强度承载力应按本规程附录 A 中第 A.2.18 条描述的方法进行试验获得。在没有试验数据的情况下，当夹芯板面板厚度 t 满足 $0.5\mathrm{mm}\leqslant t\leqslant 1.5\mathrm{mm}$、支撑构件厚度 t_1 满足 $t_1\geqslant 0.9\mathrm{mm}$ 时，连接的拉伸强度承载力也可按下列方法确定：

1 面板抗拉强度应按下列公式计算（图 6.0.1-1）：

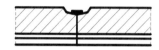

图 6.0.1-1 面板拉坏

当面板为钢材时：
$$F \leqslant k_w t d_w f \quad (6.0.1\text{-}1)$$

当面板为铝材时：
$$F \leqslant 0.48 t d_w f \sqrt{\frac{d_w}{22}} \quad (6.0.1\text{-}2)$$

式中：d_w——紧固件垫圈或者钉头的直径（mm）；

f——面板的抗拉强度设计值（MPa）。当 $f\geqslant 250\mathrm{MPa}$ 时，取 $f=250\mathrm{MPa}$；

k_w——参数，静载取 1.1，往复荷载取 0.55；

t——面板的厚度（mm）。

2 支撑构件抗拔强度应按下列公式计算（图 6.0.1-2）：

当面板为钢材时：
$$F \leqslant 0.65 t_1 d_n f_c \quad (6.0.1\text{-}3)$$

当面板为铝材时：

$$F \leqslant f_c \sqrt{t_1 d_n} \qquad (6.0.1\text{-}4)$$

式中：d_n——紧固件公称直径(mm)；

f_c——支撑构件抗拉强度设计值(MPa)；

t_1——支撑构件的厚度(mm)，当 $t_1 \geqslant 6$mm 时，取 $t_1 = 6$mm。

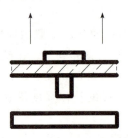

图 6.0.1-2 支撑构件拉穿面板

6.0.2 夹芯板连接的剪切强度承载力应按本规程附录 A 中第 A.2.18 条描述的方法进行试验获得。在没有试验数据的情况下，当紧固件的布置满足下列条件时(图 6.0.2-1)：

$$e_1 \geqslant 3d_n$$

$$e_2 \geqslant 3d_n$$

$$u_1 \geqslant 1.5d_n$$

$$u_2 \geqslant 3d_n$$

钢材：$3.0\text{mm} \leqslant d_n \leqslant 8.0\text{mm}$

铝材：$d_n \geqslant 5.5\text{mm}$

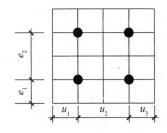

图 6.0.2-1 坚固件的布置

连接的剪切强度承载力也可按下列方法确定：

1 孔壁破坏或紧固件倾斜(图 6.0.2-2)可按下式确定：

图 6.0.2-2　孔壁破坏或连接件倾斜

$$V \leqslant \alpha d_n t f \quad (6.0.2\text{-}1)$$

当 $t=t_1$ 时，钢材 $\alpha=3.2\sqrt{\dfrac{t}{d_n}}$ 且 $\alpha \leqslant 2.1$，铝材 $\alpha=1.6\sqrt{\dfrac{t}{d_n}}$ 且 $\alpha \leqslant 1.6$；

当 $2.5t \leqslant t_1$ 时，钢材 $\alpha=2.1$，铝材 $\alpha=1.6$；

当 $1 \leqslant \dfrac{t_1}{t} 2.5$ 时，采用线性插值。

式中：α——参数。

2 面板净截面抗拉强度(图 6.0.2-3)可按下式确定：

$$V \leqslant A_n f \quad (6.0.2\text{-}2)$$

式中：A_n——面板的净截面积(mm^2)。

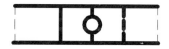

图 6.0.2-3　孔壁破坏或连接件倾斜

7 构造规定

7.1 夹芯板的支撑

7.1.1 夹芯板的支撑应平行于夹芯板表面,表面应为平面,且连续、没有节点和突起。支撑宽度的最小值应按表7.1.1取值。

表7.1.1 夹芯板支撑宽度的最小值（mm）

支撑材料	板端支撑	跨中支撑
金属	40	40
木材	60	60
砌体或混凝土中的金属预埋件	40	40

7.1.2 当存在下列情况时应设置附加支撑：
  1 夹芯板开口,如门、窗洞；
  2 夹芯板上有重的附件或局部荷载。

7.2 夹芯板间的连接

7.2.1 夹芯板间的连接应采用防水密封胶材料。
7.2.2 夹芯板凸凹连接构造可采用图7.2.2的形式。

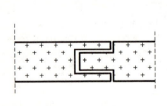 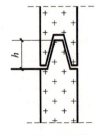

(a) 垂直连接　　　　　　　(b) 水平连接

图 7.2.2 凸凹连接

7.2.3 夹芯板叠加连接构造可采用图 7.2.3 的形式。

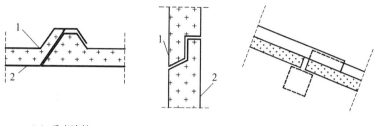

(a) 垂直连接　　(b) 水平连接　　(c) 典型的屋面叠加部分

图 7.2.3　叠加连接
1—外表面；2—内表面

7.2.4 夹芯板凹凸叠加复合连接构造可采用图 7.2.4 的形式。

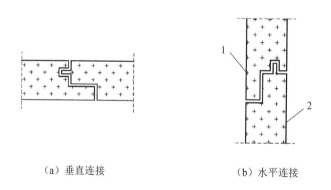

(a) 垂直连接　　　　　　(b) 水平连接

图 7.2.4　凹凸叠加复合连接
1—外表面；2—内表面

7.2.5 夹芯板对接连接宜采用垂直连接，当采用水平连接时，应使用密封胶。对接连接构造可采用图 7.2.5 的形式。

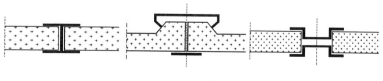

(a) 水平连接

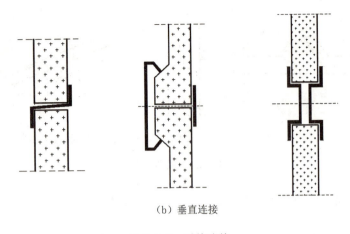

(b)垂直连接

图 7.2.5 对接连接

7.2.6 夹芯板固定于支撑体系的对接连接构造可采用图 7.2.6 的形式。

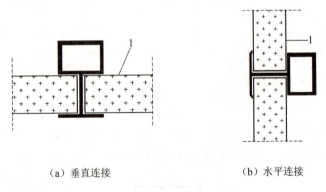

(a)垂直连接　　　　　　(b)水平连接

图 7.2.6 对接连接固定于支撑体系
1—内表面

7.2.7 夹芯板有槽板的压式连接构造可采用图 7.2.7 的形式。

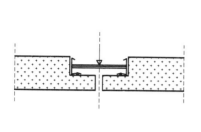
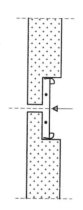

（a）垂直连接　　　　　　（b）水平连接（不推荐）

图 7.2.7　压式连接

7.3 紧 固 件

7.3.1 紧固件分为结构紧固件和非结构紧固件,可以采用下列几种形式:

1 连接金属结构的紧固件(图 7.3.1-1);

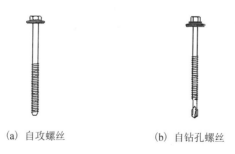

（a）自攻螺丝　　　　　　（b）自钻孔螺丝

图 7.3.1-1　连接金属结构的紧固件

2 连接木结构的紧固件(图 7.3.1-2):

(a) 自攻螺丝　　　　(b) 自钻孔螺丝

图 7.3.1-2　连接木结构的紧固件

3 连接混凝土结构的紧固件(图 7.3.1-3)

(a)　　　　　(b)

图 7.3.1-3　连接混凝土结构的紧固件连接件

4 螺钉头下有螺纹的特殊紧固件(图 7.3.1-4):

(a)　　　(b)　　　(c)

图 7.3.1-4　特殊紧固件

7.3.2 紧固件的数量和配置应满足下列要求:

1 对于结构紧固件,每个夹芯板的支承端应至少有两个紧固构件,紧固构件间的最小距离应大于夹芯板厚且不小于 50mm。

2 对于非结构紧固件,紧固构件间的距离不应该大于 600mm。

7.3.3 紧固件宜固定于结构构件上,应保证连接可靠。
7.3.4 紧固件的防腐蚀应满足下列要求:
  1 紧固件的防腐蚀应与夹芯板面板防腐蚀一致,且应满足表7.3.4匹配性要求;

表7.3.4 材料匹配性要求

面板材料	匹配要求	不同环境下接触腐蚀 紧固件材料		
		乡村环境下	城市环境下	海洋环境
碳素钢	无	Pb、Zn、Al、Mg	Pb、Zn、Al、Mg	Pb、Zn、Al、Cr、Mg
	适合临时建筑	SS、Cu、Ni、Sn、Cr	SS、Cu、Ni、Sn、Cr	SS、Cu、Ni、Sn
不锈钢	无	Cu、Ni、Cr	Cu、Ni、Cr	Cu、Ni、Cr
铜	无	Cs、Pb、AA、Sn、Cr、Mg	Cs、Pb、AA、Sn、Cr、Mg	Cs、SS、Pb、AA、Sn、Cr、Mg
	适合临时建筑	SS、Ni	SS、Ni	SS、Ni
锌	无	Al、AA、Mg	Al、AA、Mg	Al、AA、Mg
	适合临时建筑	SS、Sn、Cr	SS、Sn、Cr	Cs、Cr
	有	Cs、Cu、Pb、Ni	Cs、Cu、Pb、Ni	Cs、Cu、Pb、Ni、Sn
铝	无	Pb、Zn、AA、Sn、Cr、Mg、SS	Pb、Zn、AA、Mg、SS	Zn、AA、Mg
	适合临时建筑	Cs、Cu、Ni	CS、Ni、Sn、Cr	SS、Ni、Sn、Cr、CS、Pb
	有	—	Cu	Cu
阳极氧化铝	无	Pb、Ni、Sn、Mg、SS	Pb、Cr、Mg、SS	Cr、Mg
	适合临时建筑	Cs、Cu、Cr	Ni、Sn	SS、Ni、Pb、Sn
	有	—	Cs、Cu	Cs、Cu

注:AA=阳极氧化铝,Al=铝,Cr=铬,Cs=碳素钢,Cu=铜,Mg=镁,Ni=镍,Pb=铅,SS=不锈钢,Sn=锡,Zn=锌。

  2 当紧固件直接暴露在外界环境下时,应该优先采用不锈钢、铝等非腐蚀性的材料。密封材料应能抵抗紫外线和环境中的恶劣化学反应。

3 当紧固件通过芯材材料时,芯材不应有酸性或者其他腐蚀紧固构件的成分,宜采用聚氨酯、聚异三聚氰酸酯、聚苯乙烯泡沫等对紧固件没有腐蚀作用的芯材。

7.4 其他构造

7.4.1 屋面板应满足下列要求:

1 屋面坡度最小值应符合国家现行标准《民用建筑设计通则》GB 50352 的相关规定,也可按表 7.4.1 取值。

表 7.4.1 金属面夹芯屋面板最小坡度

夹芯板厚度(mm)	端头搭接	
	非	是
≥30	3%	5%
≤30	6%	10%

2 屋面板跨度走向应从屋檐到屋脊,屋面板左右相邻边连线应与水流走向平行。

3 屋面板屋檐处接头应保证雨水不会回流。当排水沟中结冰时,应采取措施避免融化的积雪回流。

4 屋脊连接可采用图 7.4.1-1 的连接方式。

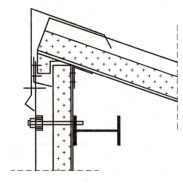

图 7.4.1-1 屋脊连接

5 山墙接头可采用图 7.4.1-2 的连接方式。

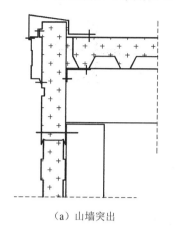
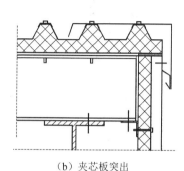

（a）山墙突出　　　　　　　　（b）夹芯板突出

图 7.4.1-2　山墙接头

7.4.2 墙板应满足下列要求：

1 墙板的竖向接头可采用图 7.4.2-1 的构造方式。

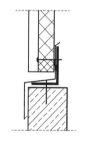
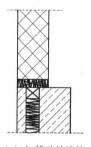
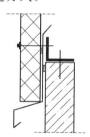

（a）与基础的连接

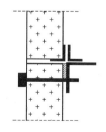
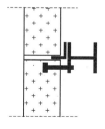

（b）板间的连接

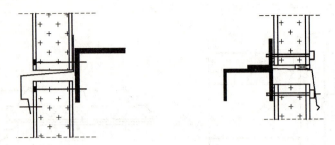

（c）有防水盖板的连接

图 7.4.2-1　墙板的竖向接头

2　墙板的水平接头可采用图 7.4.2-2 的构造方式。

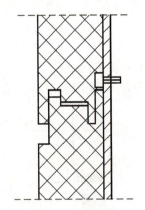

7.4.2-2　墙板的水平接头

3　墙板的角部接头可采用图 7.4.2-3 的构造方式。

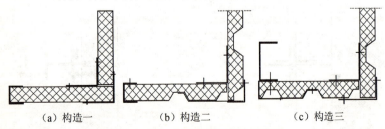

（a）构造一　　　　（b）构造二　　　　（c）构造三

图 7.4.2-3　有防水盖板的角部接头

8 安 装

8.1 包 装

8.1.1 夹芯板宜成包交货的,包装应符合下列规定:
  1 确保表面和边角不受损坏;
  2 确保运动过程中不受磨损;
  3 确保夹芯板不受潮和雨水进入。
8.1.2 包装大小应根据运输方便、设备及装卸载的次数确定,并应防止过重或过大包装在运输和装卸过程中产生的变形和损坏。

8.2 存 放

8.2.1 夹芯板应储存在离建筑尽可能近的地方,存放时间不宜过长。
8.2.2 存放地点不应进行其他工作,以免对夹芯板造成损坏或给装卸工作带来不便。
8.2.3 夹芯板的堆放支撑点不应少于3个,当采用倾斜堆放时,应放置在一个倾斜的木质刚性基础上。
8.2.4 长期储存时,宜放在干净、通风良好房间,且地板坚硬干燥,应避免受恶劣环境和阳光直射。

8.3 装 卸

8.3.1 短夹芯板宜用叉车装卸。
8.3.2 长夹芯板用起重吊索时,宜采用尼龙吊带或其他柔性材料,以免损坏板边。

8.4 安 装

8.4.1 夹芯板的安装应符合下列规定:

1 整个安装工作中,应符合国家现行相关施工标准的规定;
2 屋面板安装时,应采取措施防湿气或严寒条件的影响;
3 上人屋面的在安装过程中,应采取安全措施。

8.4.2 安装前应检查支撑结构的关键部位是否符合设计要求(图8.4.2),并应验收合格。

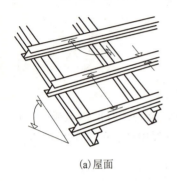 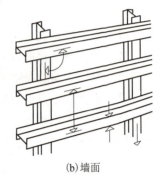

(a)屋面　　　　　　　　　(b)墙面

图 8.4.2　安装前检查关键部位

8.4.3 夹芯板的切割宜用细齿往复式地锯。钻孔时,在靠近面板表面的地方宜使用密封垫圈。

附录 A 试验方法和要求

A.1 一般要求

A.1.1 构件性能试验取样应取至少 3 个试件,材料性能试验应至少取 5 个试件。对一系列不同厚度的芯材,应分别取最薄、最厚及中间厚度的板进行试验。试样部位:应取板宽边缘 10% 和板中间位置范围。

A.1.2 试验特征值 $\overline{x}_p$ 的确定应按下式计算:

$$\overline{x}_p = \overline{x} - k_\sigma \sigma_x \qquad (A.1.2)$$

式中:$\overline{x}$——试验平均值;

k_σ——分位系数,按表 A.1.2 取值;

σ_x——标准差。

表 A.1.2 分位系数

试件个数	3	4	5	6	7	8	9	10	15	20	30	60	∞
k_σ	3.15	2.68	2.46	2.34	2.25	2.19	2.14	2.10	1.99	1.93	1.87	1.80	1.76

A.1.3 所有的试验宜在实验室室内环境进行,并应符合下列规定:

1 初次试验的试件,取样时间应至少为 24h。质量控制试验的试件应在生产后立即取样。并记录取样时的日期、时间、温度及相关湿度。

2 温度和相对湿度特别重要时,试验应满足下列条件:

温度:23℃±5℃

相对湿度:50%±10%

3 所有试样的芯材密度应与试验结果一起记录,芯材密度应从每块整板不同区域取出 3 个棱柱形芯材试样称重。

A.1.4 加速老化试验应符合下列规定:

1 试样准备应按下列规定执行：

1） 每组试验应至少取 5 个 100mm×100mm 试样，面板应完整无损。为防止腐蚀，金属面板切割边应涂抹硅脂保护剂。

2） 加速老化试验前，应首先根据本规程第 A.2.2 条确定试样未老化抗拉强度 R_0。应将试样储存在 23℃±5℃ 的正常实验室条件下至少 24h。

3） 试验前及试验后，应测量试样三个方向的尺寸，以确定其尺寸的变化。

4） 老化试验的循环应符合本条第 4 款的要求。循环过程中，将试样从一种条件转移到另一种条件应在 5min 内，否则的话，应将它们放置在密闭袋中。

2 基准老化循环 C1 应按下列规定执行：

按一天 24h 计，基准老化循环 C1 经历如下过程：

5d：温度为 70℃±5℃，相对湿度为 90%±10%；

1d：温度为 -20℃±5℃；

1d：温度为 90℃±5℃，且相对湿度小于 15%。

3 C2 试验中的试样应保存在 65℃±3℃，相对湿度为 100% 的环境里 28d。

4 老化循环应按下列步骤进行：

第一组：5 个试件，经历 1 个基准老化循环 C1。取出后，将试验试样放入预定的温度和湿度中。根据本规程第 A.2.2 条确定平均抗拉强度值记为 R_1。

第二组：同上，5 个试件，经历 5 个基准老化循环 C1，得到平均抗拉强度值记为 R_5。

第三组（需要根据第一、二组试验所得结果决定是否进行）：同上，5 个试件，经历 10 个基准老化循环，得到平均抗拉强度值记为 R_{10}。

第四组：5 个试件，经历老化循环 C2。取出后，将试验试样放入预定的温度和湿度下。根据本规程第 A.2.2 条确定平均抗拉强度记为 R_T。

5 试验结果应满足下列条件：

1）$R_1 \geqslant 0.6R_0$

2）$R_5 \geqslant 0.4R_0$

3）$R_1 - R_5 \leqslant R_0 - R_1$

4）$R_T \geqslant 0.4R_0$

当第三个条件不满足，则进行第三组性能老化试验，并应满足下列条件：

5）$R_5 - R_{10} \leqslant R_1 - R_5$ 或 $R_{10} \geqslant 0.6R_0$。

在上述过程中尺寸变化应小于5%。

A.2 材料性能试验方法

A.2.1 面板材料拉伸试验应根据现行国家标准《金属材料 拉伸试验 第1部分：室温试验方法》GB/T 228.1确定其屈服强度及其他性能。

A.2.2 芯材拉伸试验包括面板与芯材粘结力试验（面板粘结后）、芯材的抗拉强度（面板粘结前）。

采用合适的粘结剂，将方形截面试样粘结于足够刚度的加载板上。对浅压型表面，应保证加载板与面板的充分粘结（图A.2.2-1）。

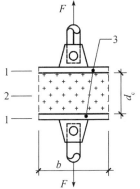

图 A.2.2-1 芯材拉伸试验装置

1—面板；2—芯材；3—加载板；d_c—试件芯材厚度；b—试件宽度

（$0.5d_c \leqslant b \leqslant 1.5d_c$，且 $b \geqslant 50$mm）

在拉伸试验机上逐步加载,应变率ε满足:$1\%/\min \leqslant \varepsilon \leqslant 3\%/\min$。
抗拉强度 f_{Ct} 为:

$$f_{Ct} = \frac{F_u}{b^2} \qquad (A.2.2-1)$$

拉伸模量 E_{Ct} 为:

$$E_{Ct} = \frac{F_u d_C}{w_u b^2} \qquad (A.2.2-2)$$

式中:参数根据荷载-位移曲线(图 A.2.2-2)确定。
试验报告中应说明破坏发生在粘结处还是芯材处破坏。

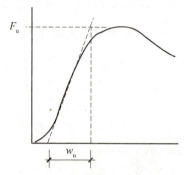

图 A.2.2-2　拉伸荷载-位移曲线

A.2.3　芯材压缩试验(图 A.2.3)应符合下列规定:
方形截面,金属面板可不用除去。

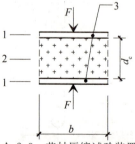

图 A.2.3　芯材压缩试验装置

1—面板;2—芯材;3—加载板;d_c—试件芯材厚度;b—试件宽度
($0.5d_c \leqslant b \leqslant 1.5d_c$,且 $b \geqslant 50mm$)

将试件放置于加载试验机的两块平行刚性加载板中间,增量加载。应变率ε应满足 1‰/min≤ε≤3‰/min。

芯材的抗压强度 f_{Cc} 应为:

$$f_{Cc} = \frac{F_u}{b^2} \quad (A.2.3\text{-}1)$$

芯材的压缩模量 E_{Cc} 应为:

$$E_{Cc} = \frac{F_u d_C}{w_u b^2} \quad (A.2.3\text{-}2)$$

A.2.4 芯材剪切试验应符合下列规定:

1 短期加载应符合下列规定:

  1)薄夹芯板芯材剪切强度及剪变模量可按图 A.2.4-1 四点弯曲加载试验获得。

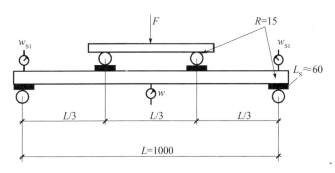

图 A.2.4-1 剪切试验布置

R—半径;w—位移;L_S—金属垫块厚度;b—试件宽度($b≥100mm$)

抗弯刚度:

$$B_S = \frac{E_{F1} A_{F1} E_{F2} A_{F2}}{E_{F1} A_{F1} + E_{F2} A_{F2}} e^2 \quad (A.2.4\text{-}1)$$

弯曲变形:

$$\Delta w_b = \frac{\Delta F L^3}{56.34 B_S} \quad (A.2.4\text{-}2)$$

剪切变形:

$$\Delta w_v = \Delta w - \Delta w_b \quad (A.2.4\text{-}3)$$

剪变模量：
$$G_C = \frac{L}{6be} \times \frac{\Delta F}{\Delta w_v} \quad (A.2.4-4)$$

式中：E_{F1}、E_{F2}——上、下钢板弹性模量；
A_{F1}、A_{F2}——上、下钢板横截面面积（mm²）；
e——上下钢板中心线距离（mm）；
Δw——荷载-跨中变形曲线中荷载增量 ΔF 对应的线性斜率部分的变形；
b——试件宽度（mm）。

芯材的极限剪切强度 f_{Cv} 应按下式计算：
$$f_{Cv} = \frac{F_u}{2be} \quad (A.2.4-5)$$

式中：F_u——试件剪切破坏时的极限荷载。

2) 厚矿棉板的剪切试验宜采用图 A.2.4-2 所示试验方法。

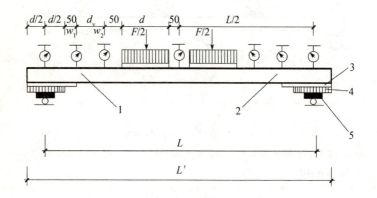

图 A.2.4-2 剪切试验布置
1—剪压区 1；2—剪压区 2；3—软塑料；4—胶合板 22mm；
5—钢板厚 10mm，宽 100mm；L—跨度；L'—试件跨度

四点弯曲试验法宜用于薄度适当的塑性泡沫夹芯板，对厚矿棉板，试样可能在传力点（加载点和支座处）处发生压碎破坏。

加载长度 d 及试件长度应适当,以避免加载点处发生压碎破坏。在剪切区域及其附近处,不应有芯材接头,试验加载至破坏应在$(5\sim10)$min 内。

剪变模量可按下列公式确定:

$$G_C = \frac{\tau_C}{\gamma_C} \quad \text{(A.2.4-6)}$$

$$\tau_C = \frac{\Delta F}{2eb} \quad \text{(A.2.4-7)}$$

$$\gamma_C \approx \frac{\Delta(w_2 - w_1)}{d_v} \quad \text{(A.2.4-8)}$$

式中: τ_C——芯材剪应力;
γ_C——芯材剪应变;
d_v——两个位移传感器之间的距离,约为 100mm;
ΔF——荷载增量;
$\Delta(w_2-w_1)$——位移差值。

2 长期加载试验应符合下列规定:

在$+20℃$左右的温度环境中,将 $n \geqslant 10$ 个样本在 $0.1h \leqslant t \leqslant 10^3 h$ 的时间间隔,采用同短期加载试验一样的方法,得到平均长期剪切强度/初始剪切强度(短期强度)与时间之间的函数关系曲线。基于函数曲线,还可计算出其他时间如 2000h 或 10000h 的剪切强度。

A.2.5 整板剪切强度的试验应符合下列规定:

对有芯材接缝的板,宜整板剪切强度的试验,此时应以接缝在芯材内的最不利布置进行加载试验,并在试验报告中说明接缝位置。

应在 1/4 处加载,或采用真空槽试验装置(或真空袋)进行真空加载。逐步增加至板破坏,并应记录破坏时的荷载(图 A.2.5)。

芯材的极限剪切强度 f_{Cv} 应按下式计算:

$$f_{Cv} = \frac{F_{Cu}}{2Be} \quad \text{(A.2.5)}$$

式中：F_{CU}——试样剪切破坏时芯材承受的荷载（MPa）。对平面及浅压型表面的夹芯板，假设所有的剪力由芯材承受，芯材承受的荷载为试验荷载；对深压型或压型钢板夹芯板，需要计算得到；

B——夹芯板宽度（mm）。

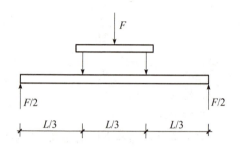

图 A.2.5 夹芯板剪切试验

A.2.6 夹芯板抗弯强度与刚度试验应符合下列规定：

1 夹芯板抗弯试验板跨 L 应根据板的厚度 D 按表 A.2.6 取值，以确保发生弯曲破坏（面板皱曲或屈曲）。当发生剪切破坏时，应以 1m 为单位增加板跨，直至发生弯曲破坏。

表 A.2.6 板跨选取表

板的厚度 D（mm）	板的跨度 L（m）
$D \leqslant 40$	$L = 3.0$
$40 < D \leqslant 60$	$L = 4.0$
$60 < D \leqslant 100$	$L = 5.0$
$D > 100$	$L = 6.0$

2 宜采用真空槽（真空袋）或四点加载试验法对板施加均布荷载（图 A.2.6-1）。

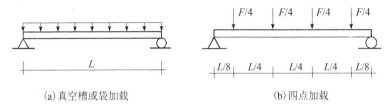

(a) 真空槽或袋加载　　　　　　(b) 四点加载

图 A.2.6-1　弯曲试验示意图

3 在整个试验过程中，应保持荷载始终垂直于板面。对压型钢板面板，应通过木质或钢质横向荷载梁及放置于低凹处的木质加载块对其施加线荷载[图 A.2.6-2(a)]，为了减小局部破坏的发生，可在加载块与面板之间放置一层毛毡、橡胶或其他类似材料。对深压型板面有滚扎加强肋，可将加载块加工为[图 A.2.6-2(b)]中所示的类似形状。

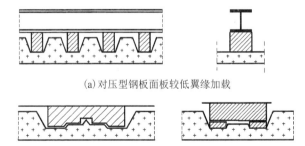

(a) 对压型钢板面板较低翼缘加载

(b) 对内含滚扎加劲肋的翼缘加载

图 A.2.6-2　对深压型或压型钢板面板施加线荷载

4 支座宽度应在 50mm～100mm 的范围内，支座可采用木块以侧肋发生变形，支座对板绕支座线的转动不应有约束（图 A.2.6-3）。

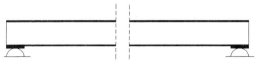

图 A.2.6-3　支座

5 试验中变形速度每分钟不超过板跨的 1/50,控制加载速率使得试件在试验开始后的 5min～10min 内发生破坏,记录破坏荷载。

6 屈曲应力的确定应符合下列规定：

  1） 平面或浅压型表面夹芯板屈曲应力 f_{cr} 应按下式计算：

$$f_{cr} = \frac{M_u}{eBt_1} \quad (A.2.6-1)$$

式中：M_u——试验中的极限弯矩(MPa),包括板自重及加载装置重量；

t_1——受压面板厚度(mm)。

  2） 如果采用真空槽或真空袋加载,屈曲应力应按下式计算：

$$f_{cr} = \frac{(F_G + F_u)L}{8eBt_1} \quad (A.2.6-2)$$

式中：F_G——板自重；

F_u——施加的极限荷载。

  3） 当在板跨 1/8、3/8、5/8、7/8 处施加四个相等荷载时,则屈曲应力应按下式计算：

$$f_{cr} = \frac{(F_G + F_u)L}{8eBt_1} \quad (A.2.6-3)$$

式中：F_u——施加的极限荷载与加载设备重量之和。

  4） 当受拉面板是深压型面板、受压的平面或浅压型面板时,屈曲应力应按下式计算：

$$f_{cr} = \frac{M_u - M_{F2}}{eBt_1} \quad (A.2.6-4)$$

式中：M_u——试验中的极限弯矩,包括板自重及加载装置重量；

M_{F2}——深压型面板承受的弯矩,见本规程第 5 章规定。

7 芯材剪变模量的确定应符合下列规定：

  1） 对平面或浅压型面板夹芯板,弯曲试验也可确定芯材剪变模量。此时跨中的总变形可按下式计算：

$$w = w_b + w_v \quad (A.2.6\text{-}5)$$

式中：w——板的跨中挠度；

w_b——面板拉压轴向变形引起的挠度；

w_v——芯材剪切变形引起的挠度。

2） 当采用真空槽或真空袋加载时，变形引起的挠度增量可按下列公式计算：

$$\Delta w_b = \frac{5}{384} \frac{\Delta F L^3}{B_S} \quad (A.2.6\text{-}6)$$

$$\Delta w_v = \frac{1}{8} \frac{\Delta F L}{G_C A_S} \quad (A.2.6\text{-}7)$$

$$B_S = \frac{E_{F1} A_{F1} E_{F2} A_{F2}}{E_{F1} A_{F1} + E_{F2} A_{F2}} e^2 \quad (A.2.6\text{-}8)$$

$$G_C = \frac{\Delta F L}{8 A_S (\Delta w - \Delta w_b)} \quad (A.2.6\text{-}9)$$

$$A_S = eB \quad (A.2.6\text{-}10)$$

式中：Δw——挠度增量，应从荷载-挠度曲线的线性部分截取；

ΔF——相应的荷载增量。

3） 当在板跨 1/8、3/8、5/8、7/8 处施加 4 个相等荷载，变形引起的挠度增量可按下式计算：

$$\Delta w_b = \frac{41}{3072} \times \frac{\Delta F L^3}{B_S} \quad (A.2.6\text{-}11)$$

A.2.7 确定徐变系数 φ_t 的试验应符合下列规定：

1 可采用本规程第 A.2.6 条中弯曲试验板的方案。试验中，恒载宜取常温下剪切破坏时平均压力值的 30%，且至少保持恒定 1000h。

2 平面及浅压型表面夹芯板的芯材徐变系数可按下式计算：

$$\varphi_t = \frac{w_t - w_0}{w_0 - w_b} \quad (A.2.6\text{-}12)$$

式中：w_t——时间 t 时测得的挠度；

w_0——初始挠度；

w_b——面板弹性伸长引起的挠度。

3 对于深压型面板的夹芯板,因为芯层部分承担的弯矩 M_S 和面板承担的弯矩 M_{F1}、M_{F2} 的分布情况取决于芯材的剪切刚度。因此,徐变系数应根据试验结果曲线反复估算。

4 其他时间条件下的徐变系数,可通过以上试验结果用半对数表插值获得。

A.2.8 中间支座处的皱曲应力确定试验应符合下列规定：

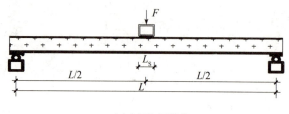

(a)向下加压荷载

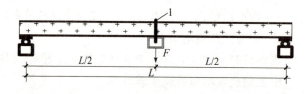

(b)向下加拉荷载

图 A.2.8 中间支座处皱曲应力加载图
1—螺丝钉

1 中间支撑处的皱曲应力试验可采用向下加压荷载或向上加拉荷载两种方式(图 A.2.8)。板长应大于 5m,并保证芯材和紧固件不会提前破坏。

2 平面或浅压型表面的夹芯板皱曲应力 f_{cr} 可按下式计算：

$$f_{cr} = \frac{F_u L}{4eBt_1} \quad (A.2.8)$$

A.2.9 两跨连续板试验应符合下列规定(图 A.2.9)：

(a)采用真空袋或真空槽法

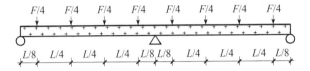

(b)采用液压千斤顶施加线荷载

图 A.2.9 两跨夹芯板弯曲试验布置

A.2.10 支座承载力确定试验应符合下列规定(图 A.2.10):

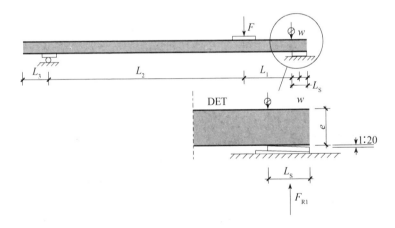

图 A.2.10 确定端支座反向承载力的试验布置

1 当端支座发生压缩破坏时,支座承载力应按下式计算:

$$F_{R1} = \frac{L_2}{L_1 + L_2} F \qquad (A.2.10\text{-}1)$$

式中:F——试验中测得的最大荷载和挠度 $w=0.1e$ 时对应荷载

的最小值。

2 当端支座发生加载板 F 和支撑板 L_S 之间剪切破坏,支座承载力应按下式计算:

$$F_{R2} = f_{Cc}B(L_S + ke) \quad (A.2.10\text{-}2)$$

$$k = 2\frac{F_{R1} - f_{Cc}BL_S}{f_{Cc}eB} \quad (A.2.10\text{-}3)$$

式中:f_{Cc}——芯材的抗压强度,应根据本规程第 A.2.3 条确定。

A.2.11 可行走性试验应符合下列规定:

1 短期荷载下可行走性试验:

对单跨简支板,取实际中最大跨度,在跨中用 100mm×100mm 的木块施加 1.2kN 的荷载。为了避免应力集中,可在木块与板金属面中间放置 10mm 厚的橡胶或毛毡。

1) 如果板没有永久的可视损坏,则没有行走方面的限制;
2) 如果存在永久的可视损伤,但板可以承受荷载,应在安装过程中采取措施以避免损坏(如设置步行板)。在安装完成后,不应在屋面板上行走;
3) 如果板不能承受荷载,不得在屋面板上行走。

对于多跨连续板,最大允许板跨可比单跨简支板增加 25%。

2 长期荷载下可行走性试验:

按本规程第 A.2.2 条准备 10 个 100mm×100mm 带有完整钢板的拉伸试件,对 50% 的试件进行拉伸破坏试验。对剩余的 50% 试件先按 0N/mm² ~ 0.08N/mm² 的压应力下经历 250 次循环,加载频率不应超过 1Hz,然后进行拉伸破坏试验。

当经历循环荷载后的试件平均拉伸强度低于没有经历循环加载平均拉伸强度的 80%,则认为板在长期荷载且无额外保护的情况下不适合于行走。

A.2.12 起泡试验应符合下列规定:

1 对暴露于阳光下的深色泡沫夹芯板或承受较高相对温度的板应进行本试验。

2 对于连续生产的板,取试件长度至少1m。对于独立成型的板,应对整块板试验。

3 将夹芯板的外面板均匀加热到85℃±3℃,保持2h,仔细检查冷却前是否存在可视的鼓泡。如果没有可视的鼓泡,则视为合格。

A.2.13 热冲击试验应符合下列规定:

1 试样应为每跨3m的两跨连续板,并固定于钢框架上。

2 将外表面每次加热10℃,至最高温度80℃,其他面宜为常温(20℃)。稳定后,应喷施冷水使外表面突然冷却(低于常温)。

3 无任何可见的损伤(皱曲、屈曲、起泡等)为合格。

A.2.14 泡沫芯材热稳定性试验应符合下列规定:

1 试样截面尺寸为100mm×100mm,厚度应为夹芯板厚度减面板厚度,精确测量其厚度。

2 将一组试样放入温度为80℃加热室中,另一组试样放入—20℃冷冻室中,维持3h。然后,将它们取出,在正常的温度中重新测量其厚度。加热和冷冻后的试样厚度差分别不应大于3%和1%。

A.2.15 泡沫及粘结剂反应试验应按下列步骤进行:

1 将泡沫和粘结剂混合在一次性容器中,记录下列反应时间:

1)乳稠时间;

2)生成时间;

3)凝结速率或表干时间;

4)粘合结束时间。

2 将试件中取出,确定下列参数:

1)密度;

2)受压强度;

3)冷热交攻下的性能(+80℃,—20℃)。

3 结合试件的尺寸和外观(孔结构),根据经验判别。

A.2.16 面板与芯材之间粘结性能试验应按下列步骤进行：

1 取两块宽 20mm、长 100mm 的条状面板材料，按图 A.2.16 将面板粘结在一起。

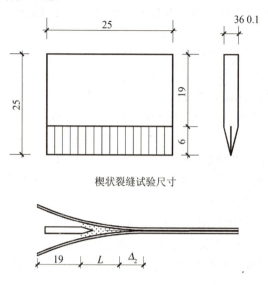

图 A.2.16 粘结试验的试样尺寸和试验布置
L—初始裂缝；Δ—裂缝增长

2 将楔状物插入两面板之间，并测量引起的初始裂缝长度。然后对楔状物施加 3N 的力，将样本放至 70℃ 的水中 24h。

3 满足下列条件判定为合格：
    1）初始裂缝不超过 20mm；
    2）热水 24h 后裂缝增加长度不超过 20mm；
    3）裂缝出现在粘结剂材料自身而不是与面板材料的粘结处。

A.2.17 抗冲击试验应符合下列规定：

本试验用于测试可能遭受冲击荷载的内墙和外墙夹芯板，如与公共场合相邻的一楼建筑，在遭受偶然冲击或蓄意冲击时的性能（如物件对板的砸击或人为事故）。

1 冲击荷载试验试件应由至少两块竖向板组装连接于一个合适的刚性支撑框架上。板件宽度不应小于2m，高度应接近最大设计高度，且不应小于2m(图A.2.17)。

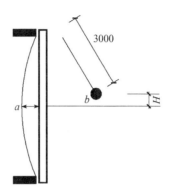

图 A.2.17 冲击荷载试验原理

a—挠度最大值；b—冲击锤

2 硬质冲击锤应采用直径为67.5mm，重量大约10kg的钢球，软质冲击锤应采用直径为400mm的帆布包，内装直径为3mm的玻璃球，总重量大约为50kg。冲击锤由一个至少3m长的线垂直于板面倒挂放置。

3 试验中，冲击器的初始高度H为0.30m，并以0.30m递增直至破坏发生。每次冲击后，应及时抓住冲击器，以确保每种高度时的冲击只发生一次。对板件一个或多个关键位置进行试验，检查板件应无下列破坏：

1）可见损伤；

2）达到最大允许变形；

3）丧失完整性如板件与支撑框架不脱离。

凹痕或其他表面损伤是可以接受的。按下式记录试验冲击破坏能量：

$$E = Mg\sum H \qquad (A.2.17)$$

式中：E——冲击能(N)；

　　　M——冲击器的质量(kg)；

　　　g——重力加速度(m/s^2)，g=9.807m/s^2；

　　　H——下落高度(m)。

A.2.18 连接试验每组应至少进行 5 个试验，并应符合下列规定：

1 连接拉伸试验(图 A.2.18-1)应按下列方法进行：

应使紧固件与板端之间的距离最小，单调增加荷载或位移，使试件在 5min～10min 内发生破坏。测量连接的拉伸位移 $w = w_1 - w_2$，记录破环荷载和破坏模式(拔穿、拔出、连接件自身破坏等)。

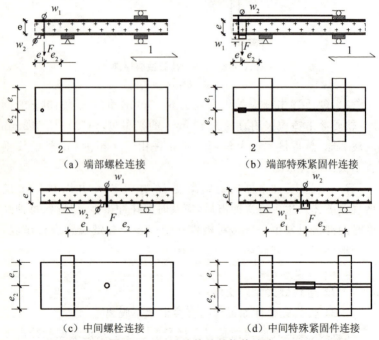

(a) 端部螺栓连接　　　(b) 端部特殊紧固件连接

(c) 中间螺栓连接　　　(d) 中间特殊紧固件连接

图 A.2.18-1　连接处的拉伸试验

1—跨度方向；2—中点连接；e_1—构造规定的最小端距；
$e_2 \geqslant \max\{e, 100mm\}$；$e_3 \geqslant B/4$，$B$ 为夹芯板的宽度；$e_4 \geqslant \max\{e, 100mm\}$

2 连接件剪切试验(图 A.2.18-2)应按下列方法进行：

单调增加荷载或位移,使试件在 5min～10min 内破坏。记录破环荷载和破坏模式(拔穿、拔出、连接件自身破坏等),破坏荷载为下列荷载中的最小值：

1) 试验的最大荷载；

2) 荷载-位移曲线上第一次下降荷载；

3) 位移为 3mm 时对应的荷载。

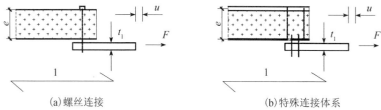

(a)螺丝连接　　　　　　(b)特殊连接体系

图 A.2.18-2　连接的剪切试验

t_1—支撑体系的厚度；l—跨度方向；u—位移(mm)

3 连接重复弯曲试验(图 A.2.18-3)应按下列方法进行：

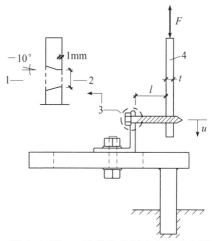

图 A.2.18-3　连接件重复弯曲试验布置

1—节点 A 详图；2—杆柄直径；3—节点 A；4—子结构

试验机采用位移控制单边加载,按下列循环次数进行:

    1) 以计算最大位移的 4/7 循环 20000 次;

    2) 以计算最大位移的 6/7 循环 2000 次;

    3) 以计算最大位移循环 100 次。

加载频率不应超过 5Hz。位移循环完成后,对连接进行拉伸破坏试验。

A.2.19 耐腐蚀性、热传导性能、耐湿性、板间节点气密性、耐火性、声学性能等其他物理性能试验应按国家现行有关标准执行。

A.2.20 试验结果的记录与分析应符合下列规定:

1 每个试验都应提交正式的文件报告,给出所有相关数据。除试验结果外,还应包括精确的试件尺寸和材料性能,试验中观察到的任何现象。

2 对试验结果的分析,应基于测得的试样尺寸和性能,而不是设计值。

本规程用词说明

1 为便于在执行本规程条文时区别对待,对要求严格程度不同的用词说明如下:

1)表示很严格,非这样做不可的:

正面词采用"必须",反面词采用"严禁";

2)表示严格,在正常情况下均应这样做的:

正面词采用"应",反面词采用"不应"或"不得";

3)表示允许稍有选择,在条件许可时首先应这样做的:

正面词采用"宜",反面词采用"不宜";

4)表示有选择,在一定条件下可以这样做的,采用"可"。

2 条文中指明应按其他有关标准执行的写法为:"应符合……的规定"或"应按……执行"。

引用标准名录

《建筑结构荷载规范》GB 50009
《民用建筑设计通则》GB 50352
《金属材料 拉伸试验 第1部分:室温试验方法》GB/T 228.1
《不锈钢热轧钢板和钢带》GB/T 4237
《彩色涂层钢板及钢带》GB/T 12754
《建筑用压型钢板》GB/T 12755
《室内装饰装修材料 人造板及其制品中甲醛释放限量》GB 18580
《绝热用硬质酚醛泡沫制品(PF)》GB/T 20974
《建筑装饰用铝单板》GB/T 23443
《建筑用金属面绝热夹芯板》GB/T 23932

中国工程建设协会标准

金属面绝热夹芯板技术规程

CECS 411：2015

条文说明

目　次

1 总　　则 …………………………………………………（71）
3 材　　料 …………………………………………………（73）
　3.1 金属面板 ……………………………………………（73）
　3.2 芯材 …………………………………………………（73）
　3.3 粘结剂 ………………………………………………（78）
4 基本设计规定 ……………………………………………（79）
5 夹芯板计算 ………………………………………………（81）
　5.1 一般规定 ……………………………………………（81）
　5.2 夹芯板内力与变形计算 ……………………………（81）
　5.3 夹芯板应力计算 ……………………………………（94）
　5.4 夹芯板承载力计算 …………………………………（95）
6 连接计算 …………………………………………………（98）
7 构造规定 …………………………………………………（102）
　7.1 夹芯板的支撑 ………………………………………（102）
　7.2 夹芯板之间的连接 …………………………………（102）
　7.3 紧固件 ………………………………………………（104）
　7.4 其他构造 ……………………………………………（105）
8 安　　装 …………………………………………………（116）
　8.1 包装 …………………………………………………（116）
　8.2 存放 …………………………………………………（116）
　8.4 安装 …………………………………………………（116）
附录 A 试验方法和要求 …………………………………（117）

1 总 则

1.0.1～1.0.3 金属面绝热夹芯板采用一定的成型工艺将上下两层面板和芯材组合成一个整体的板材。面板一般采用很薄的高强金属材料，芯材采用垂直与面板方向的具有一定强度后轻质材料做成。因此金属面绝热夹芯板作为一种组合材料，具有轻质、高刚度和高强度、可设计性以及简单高性能化的特点。

金属面绝热夹芯板在我国使用的历史大约有30年，但由于其优良的组合力学性能和易于运输、便于安装、隔热隔音、绝热性能好、适合工厂化大批量预制生产，因此在我国多个领域被广泛应用，如建筑、船舶、汽车行业等。建筑领域对金属面绝热夹芯板的使用也越来越广泛，如组合房屋、公共建筑和工业厂房、仓库可移动板房临时房屋、冷库等（主要是维护结构）。以前的工业厂房屋面一般采用预制加工的石膏板或混凝土板。但其自重大、不易安装、维修困难等缺点被逐渐认识到。随着轻钢建筑结构的快速推广，金属面绝热夹芯板以其显著的优势代替了以上材料，更由于隔热效果、轻质快速安装、布置灵活而成为单层工业厂房建筑的首选。在公共建筑方面，金属面绝热夹芯板可以应用于大空间屋面和外墙中，可以做成单跨、双跨等。因为公共建筑多采用网架或桁架结构形式，因此对屋面的轻质、保温、隔热、防火吸声等提出了更高的要求。在组合房屋方面由于质轻组合灵活，施工方便而被青睐。随着我国基础建设的突飞猛进，噪声污染也随之引起关注，而金属面绝热夹芯板拥有良好的吸声性能，已被大量用于治理减少城市噪声的屏障中。若芯层中添加阻尼材料，还可利用阻尼的变形来消耗能量，提高抗震等级。这一切都说明金属夹绝热芯板在建筑行业的重要性。

本规程中采用的设计方法是依据国内设计相关规定,基于大量理论和试验结果,同时参照鉴欧洲相关规范的设计理论编写而成。

本规程的中的很多参数,如材料及连接的强度等,都引用了国家现行有关标准的规定,因此,除本规程有明确的规定外,设计时必须遵守国家现行有关的标准。

3 材　　料

3.1 金属面板

3.1.1、3.1.2 条文参照现行国家标准《建筑用金属面绝热夹芯板》GB/T 23932 中的相关规定。最小厚度不仅由应力计算确定,也要满足使用、运输、安装的要求。

3.1.3 在一般的海洋、城市、乡村大气环境下,铝表面不需要额外的包层,因为它能形成持续的自然氧化膜。铝板在有环境卫生或防腐蚀特殊要求的地方经常使用。

3.2 芯　　材

3.2.1 硬质泡沫芯材最常用的种类是:聚氨酯(PU)、多异氰脲酸酯(PIR)、酚醛树脂(PF)和聚苯乙烯(PS)。多异氰脲酸酯(PIR)是类似于 PU 的硬质泡沫塑料,并拥有几乎相同的力学和物理性质。但是两种主要泡沫成分不同的混合比例导致了更高的抗热性和更好的防火表现。

在生产硬质酚醛泡沫塑料(PF)的过程中,在固化阶段有大量的水需要清除。越来越多的积水会变为特别的酸性,会导致严重的金属面腐蚀问题。这个材料在火中有良好的表现,但还是可燃的,并且是低热传导性。由于酚醛易脆性和酸的腐蚀性,欧洲规范 *European Recommendations for Sandwich Panels Part Ⅰ: Design* 建议在承受动力和往复荷载的屋面和天花板慎重使用。

3.2.2 岩棉的密度和结合强度性质应足够高,以稳定承受在生产、安装、使用过程中产生的内芯应力。将岩棉切成条状,纤维朝向有平行和垂直面板两种方式,如图1、图2所示,二者力学性能相差很大。垂直纤维方向摆放,会提高板承载力。

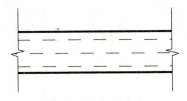

图1 纤维方向平行于面板

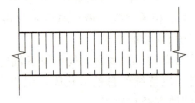

图2 纤维方向垂直于面板

结构岩棉：高密度三维螺旋纤维无序排列，每个断面都具有相同的强度特性。同岩棉相比，除了力学性能上的差异外，玻璃棉在保温性能、防火性能及耐久性能等性能方面表现相当，而玻璃棉的防水性能（吸水性）方面比岩棉表现得更优异。

对于以玻璃丝棉或岩棉无机芯材的复合板，根据大量的工程实际经验，在其企口接头处辅以硬质阻燃聚氨酯(PU)发泡进行处理有以下优点：

（1）改善和提高了无机芯材复合板在节点处的连接承载力，以提高复合板的整体承载力；

（2）在企口接头处填充聚氨酯发泡有利于复合板芯材的防潮及隔潮，从而提高复合板的整体耐久性。

因此，此种无机芯材的复合板在企口连接处辅以聚氨酯发泡的处理办法相对于泡沫芯材的复合板，既体现了无机芯材复合板的防火优势，又提高了解决无机芯材复合板承载力的问题，同时还对无机芯材复合板的防潮和隔汽等起明显作用。

根据欧洲规范 *European recommendations for sandwich*

panels Part Ⅰ:Design，无机芯材还需注意满足下列要求：

（1）剪切强度。通常，相邻芯材单元间的横向接缝是无机材料成形板的最薄弱位置。为了弥补接缝的不利影响，可将无机芯材错缝布置或在横向接缝处粘结。除非足够加强，否则，不允许横向接缝或节缝线延伸穿过板宽的1/3。

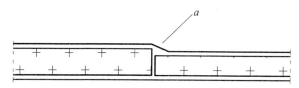

图3 不同厚度相邻芯材单元接缝
a—接缝处

（2）皱曲应力。不相等厚度引起的芯材与面板间隙，芯材单元的不利位置，会对皱曲应力造成不利影响。

选择的试件应能反应正常产品中可能出现的最不利情况，应在质量控制中考虑此因素。

3.2.3 芯材应具有足够的强度、刚度和耐久性。对芯材材料要尽可能利用合理分析和试验来确定芯材的相关性能。

3.2.5 本条根据欧洲规范 European Recommendations for Sandwich Panels Part Ⅰ:Design，时间对芯材的影响应注意满足下列要求：

（1）对于徐变系数，应通过附录A中的剪切徐变测试方法。如果ϕ_t小于0.5，薄面板（平面板、浅压型面板）的徐变影响可以忽略。

（2）大多数情况情况下，徐变会使应力改变，在计算过程中应该加以考虑。在雪荷载的情况下，ϕ_t是基于2000h为一个单位，对于少于或多于这个单位就要选择其他的值。

3.2.6 夹芯板的耐久性是指在使用过程中，抵抗各种自然因素及其他有害物质长期作用的能力，引入"老化速度系数"来评估耐久性。试验方法可以查阅附录中的相关内容。老化速度系数是指老化后拉伸强度与未老化前的比值。关键参数是芯材及粘结强度的损失同湿度和温度下的各种变量有关。

如果夹芯板满足本规程附录第 A.2.4 条中老化性能循环次数的相关规定,则该夹芯板即可以用于内墙板又可以用于外墙板,也可以用于屋面板,使用不再受限制。

未老化的芯材与整个横截面的粘结拉伸强度的标准值应大于等于 $0.075N/mm^2$。附录 A 中给出了确定夹芯板拉伸试验的方法。

根据国外论文 Long-term Durability of Adhesively Bonded Sandwich Panel 中的相关试验资料,矿棉与聚氨酯芯材相对抗拉强度耐久性 R 见图 4~图 7 所示:

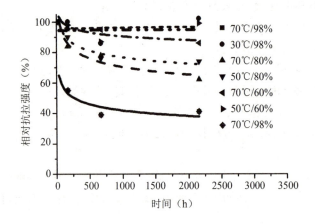

图 4　岩棉夹芯板相对抗拉强度

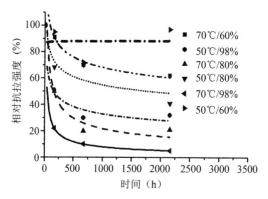

图 5 玻璃棉夹芯板相对抗拉强度

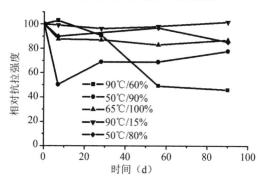

图 6 二氧化碳填充聚氨酯夹芯板相对抗拉强度

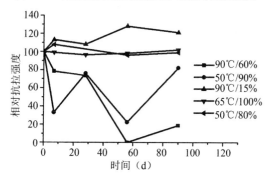

图 7 环戊烷填充聚氨酯夹芯板相对抗拉强度

老化后面板皱曲强度值计算公式根据欧洲规范 *European Recommendations for Sandwich Panels Part* Ⅰ: *Design*,并考虑芯材弹性模量随芯材厚度的变化,以推得夹芯板皱曲强度和芯材抗拉强度的关系式,最终推得皱曲强度耐久性的参考值。

3.3 粘 结 剂

3.3.1、3.3.2 条文参照欧洲规范 *Preliminary European Recommendations for Sandwich Panels Part* Ⅱ: *Good Practice* 制定的。

4 基本设计规定

4.0.1 夹芯板所承受的荷载需要注意下列几个方面:

(1)永久荷载:

由于冷库内外温差在实际使用时往往为恒温差,所以将由于冷库造成的温差荷载变形为永久荷载变形,正常情况使用下温差造成的变形为可变荷载造成的变形。

(2)可变荷载:

①对屋面板和天花板,应考虑在建造和维修过程中的行人荷载。

②在没有现成的荷载要求的情况下,推荐屋面和天花板的均布荷载 $q_k=0.25kN/m^2$。另外,设计天花板时,集中荷载的特征值取 $F_k=1.2kN$。

③夹芯板一般不适合承担持续行人荷载。重复的行人荷载对夹芯板抵抗能力的影响应该具体问题具体分析。

④这些原则包括偶然荷载的情况。

⑤覆盖雪荷载的屋面板其外部温度与雪的密度和湿度有很大关系,并且可能比0℃低很多。

4.0.2 温度荷载需注意下列几个方面:

(1)夏天外部面板的最大温度值与其颜色和反射率 R_G 有关,R_G 值可以从涂层生产商或试验中获得,也可以通过内插值的方法得到精确值:

$R_G \geqslant 75, T_1 = 55℃$;

$40 < R_G < 75, T_1 = 65 - \dfrac{R_G - 40}{35}10℃$;

$15 \leqslant R_G < 40, T_1 = 80 - \dfrac{R_G - 15}{25}15℃$;

$R_G < 15, T_1 = 80℃$。

(2)如果取 $T_1 = 55℃$，设计者应保证在考虑其涂层蒙尘和老化时，其表面长期保持原有的反射率。

(3)更准确的表面温度确定方法基于阳光热量流动和吸热系数(α)的方法计算，可参考欧洲规范 *European Recommendations for Sandwich Panels Part* Ⅰ：*Design*。

4.0.4 长期荷载主要考虑对芯材剪切强度的影响，可以通过考虑芯材的剪切强度的方法考虑长期荷载。

失效模式中面板屈曲、芯材的剪切破坏和紧固件处的夹芯板破坏可能受耐久性的影响。

4.0.5 在可能受冲击荷载及震动影响的建筑物中，应在设计时对这些作用给予特殊考虑，在公共场合容易有比如爆炸等场合的地方使用夹芯板时要考虑冲击荷载，一般情况下可不考虑冲击荷载。

4.0.6 金属面板的厚度对于金属面绝热夹芯板的抗弯刚度及抵抗力的影响是很显著的，应该保证。

4.0.8 当破坏形式符合其中一种或是同时几种模式均发生时，就可以断定发生了承载能力极限状态破坏。

4.0.9 短期荷载挠度值代表不包括徐变影响在内的组合值，代表初始挠度。长期荷载引起的挠度包括短期荷载挠度值额外加上剪切徐变引起的挠度。

5 夹芯板计算

5.1 一般规定

5.1.1 关于公差的详细标准数值,是参考欧洲规范 *Continuously hot-dip metal coated steel sheet and strip-Tolerances on dimensions and shape* EN 10143。

5.2 夹芯板内力与变形计算

5.2.1 本条是关于平面或浅压型夹芯板内力与变形计算的规定。

1 均布荷载 q 作用下的单跨板:

当夹芯板面板很薄且是平表面或是浅压型表面时,则面板的弯曲刚度($B_{F1}=E_{F1}I_{F1}$,$B_{F2}=E_{F2}I_{F2}$)很小,忽略对板材应力和变形的影响。计算过程中仅考虑 M_S,N_{F1},N_{F2},V_S。

建筑金属面夹芯板的挠度-荷载公式:

$$w = \frac{5}{384} \times \frac{qL^4}{B_S} + \frac{KqL^2}{8G_C A_S} = \frac{5}{384} \times \frac{qL^4}{B_S}\left(1+\frac{16}{5}k\right) \quad (1)$$

推导如下所示:通常将夹芯板简化成梁,在通过梁的位移公式来计算:

$$B_S(\gamma''-w''')-A_C G_{eff}\gamma=0, \quad A_C G_{eff}\gamma'=-q \quad (2)$$

通过求解以上两个方程组,解得:

$$w''=\frac{M_S}{B_S}+\frac{V'_S}{A_C G_{eff}}-\theta, \quad \gamma=\frac{V_S}{A_C G_{eff}} \quad (3)$$

利用边界条件并积分求得在均布荷载作用下的跨中位移公式,其中:

$$B=B_S=E_{F1}I_{11}+E_{F2}I_{22}=\frac{E_{F1}A_{F1}E_{F2}A_{F2}e^2}{E_{F1}A_{F1}+E_{F2}A_{F2}} \quad (4)$$

抗弯刚度的推导过程如下:对于挠度-弯曲公式的推导,抗弯刚度是必须知道的,为此推导抗弯刚度。首先应该确定中性轴的位置,面板对中性轴静矩为:

$$S_1 = \int_{A_{F1}} y \mathrm{d}A, S_2 = \int_{A_{F2}} y \mathrm{d}A \tag{5}$$

由于垂直于截面应力之和为 0,即:

$$\int \sigma_{F1} \mathrm{d}A_1 + \int \sigma_{F2} \mathrm{d}A_2 = 0 \tag{6}$$

由于面板很薄,假定应力 σ_{F1}、σ_{F2} 均为常数,可以推出:

$$E_1 S_1 + E_2 S_2 = 0 \tag{7}$$

可以得到中性轴距离上钢板中性轴的位置:

$$y = E_{F2} e A_{F2} / (E_{F1} A_{F1} + E_{F2} A_{F2}) \tag{8}$$

计算上、下面板的惯性矩:

$$I_{11} = \int_{AF1} y^2 \mathrm{d}_A = E_2^2 e^2 A_{F2}^2 A_{F1} / (E_2 A_{F2} + E_1 A_{F1})^2 \tag{9}$$

$$I_{22} = \int_{AF2} y^2 \mathrm{d}_A = E_1^2 e^2 A_{F1}^2 A_{F2} / (E_2 A_{F2} + E_1 A_{F1})^2 \tag{10}$$

夹芯板的抗弯刚度 B 为:

$$B = B_S = E_{F1} I_{11} + E_{F2} I_{22} = \frac{E_{F1} A_{F1} E_{F2} A_{F2} e^2}{E_{F1} A_{F1} + E_{F2} A_{F2}} \tag{11}$$

规程中单跨温差公式的推导过程如下:单跨简支时,温度只能引起变形不会造成应力改变,简支夹芯板将在温度的作用下变成弧形。其变形时上、下面板温度分别为 T_1、T_2,热膨胀系数为 α_{F1}、α_{F2}。夹芯板变形转角为:

$$\theta = -w'' = \frac{\alpha_{F2} T_2 - \alpha_{F1} T_1}{e} \tag{12}$$

对公式(12)二次积分,引入边界条件,可以得到跨中位置处的挠度为:

$$w = \frac{\theta L^2}{8} \tag{13}$$

2 均布荷载作用下的多跨连续板:

双跨板公式及内力的推导过程如下:对于连续二等跨夹芯板的变形问题,由于在挠度控制的范围内是线弹性,可以通过叠加的方法计算均布荷载下的变形问题。计算示意图如图8所示。通过叠加使跨中位置为0,就可以算出集中荷载。

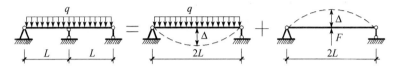

图8 双跨夹芯板变形叠加计算简图

由公式(2)可得到,对于跨度为 $2L$ 的夹芯板均布荷载作用下跨中挠度为:

$$w_q = \frac{5qL^4}{24B_S}(1+0.8k) \tag{14}$$

在集中荷载 F 的作用下,结合结构力学单位荷载法,对于跨度为 $2L$ 跨中挠度为:

$$w_F = \frac{FL^3}{6B_S}(1+k) \tag{15}$$

由公式(14)与(15)中的 $w_q = w_F$ 相等,可以得到跨中支座反力:

$$F_2 = qL\left[1+\frac{1}{4(1+k)}\right] \tag{16}$$

通过结构力学知识可以得到,中间支座处弯矩为:

$$M_S = -\frac{qL^2}{8} \times \frac{1}{1+k} \tag{17}$$

边跨跨中处弯矩:

$$M_1 = \frac{qL^2}{8}\left[1-\frac{1}{2(1+k)}\right] \tag{18}$$

端支座剪力 V_S 为:

$$V_S = \frac{qL^2}{2}\left[1-\frac{1}{4(1+k)}\right] \tag{19}$$

通过结构力学单位荷载法可以得出均布荷载作用下,跨度为

$2L$ 的夹芯板 $L/2$ 处的挠度为：

$$w_1 = \frac{qL^4}{8B_s}\left(\frac{19}{16} + k\right) \tag{20}$$

相同的方法可以得出在跨中集中跨度作用下，跨度为 $2L$ 的夹芯板 $L/2$ 处的挠度为：

$$w_2 = \frac{qL^4}{24B_s(1+k)}\left(2k^2 + \frac{21}{4}k + \frac{55}{16}\right) \tag{21}$$

最大挠度点的位置依赖于剪切影响因子(参数 k)，对于两跨长度相等的夹芯板，挠度最大值精确值应该在在 $0.375L$ 和 $0.5L$ 之间。由公式(15)、(16)可以得到连续两等跨夹芯板跨中处近似最大挠度上限值：

$$w = w_1 - w_2 = \frac{1}{48} \times \frac{qL^4}{B_s} \times \frac{2k^2 + 2.625k + 0.26}{1+k} \tag{22}$$

5.2.2 本条是关于深压型或压型钢板夹芯板内力与变形计算的规定。

深压型夹芯板受力时可分为两部分：一部分是深压型面板的自身刚度用来承担弯矩和剪力；一部分是夹层部分中的面板的轴力对夹芯板中性轴的乘积承担的弯矩(芯材忽略)以及芯材承担的剪力。两部分虽然独立，但变形协调。由于面板刚度较大，单跨情况也要做超静定结构分析。

1 均布荷载作用下的单跨板：

单跨板受均布荷载 q 作用下的挠度及温差效应的挠度精度解过于复杂，实用性不高，近似解简单精确度非常高。近似解主要用于针对典型荷载与常见板跨的简单手算，针对于面板应力的计算用下面的近似解计算可完全满足精度要求，但对于剪力的计算是不精确的。

单跨深压型或压型钢板夹芯板的计算公式及内力的推导过程如下：

采用了结构单元荷载法。此法虽然简单，但是只能求得总的界面处的弯矩及剪力，由于屋面板需要分别求出翼缘和夹芯部分的弯矩和剪力,所以本条采用微分方程平衡法推导,夹芯板在均布荷载作用下如图9所示。

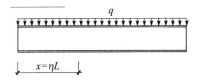

图9 夹芯板在均布荷载作用下示意图

式中:$\eta = x/L$,由结构力学可以得到:

$$M = \frac{qL^2}{2}(\eta - \eta^2) \quad (23)$$

$$V = \frac{qL}{2}(\eta - 2\eta) \quad (24)$$

由力与挠度变形之间的关系可知:

$$M_{F1} = -B_{F1}w'', M_{F2} = -B_{F2}w'' \quad (25)$$

$$V_{F1} = -B_{F1}w''', V_{F2} = -B_{F2}w''' \quad (26)$$

因为假定变形相互协调,并且是面板与芯材为线弹性,应力与变形成正比,所以为了推导方便相互叠加,如下:

$$M_D = M_{F1} + M_{F2}, M = M_D + M_S \quad (27)$$

$$V_D = V_{F1} + V_{F2}, V = V_D + V_S \quad (28)$$

$$B_D = B_{F1} + B_{F2}, B = B_D + B_S \quad (29)$$

再推导微分方程前,先要知道深压型夹芯板力与变形之间的关系,截面变形如图10所示。

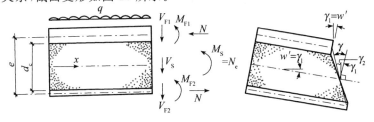

图10 截面变形示意图

由力与变形之间的关系可知:
$$M_S = B_S \gamma'_2 = B_S(\gamma' - w'') \tag{30}$$
$$V_S = A_S G_C \gamma \tag{31}$$
由以上公式整理可以得到以下两个微分方程:
$$A_S G_C - B_D w''' = V \tag{32}$$
$$B_S \gamma' - B w'' = M \tag{33}$$
消去 γ,将 $V' = -q$ 代入得到一个关于 w 的四阶微分方程:
$$w''' - \left(\frac{\lambda}{L}\right)^2 w'' = \left(\frac{\lambda}{L}\right)^2 \frac{M}{B} + \frac{1+\alpha}{\alpha} \times \frac{q}{B} \tag{34}$$
式中 $\alpha_1, \alpha_2, \alpha, \beta, \lambda$ 的取值如下:
$$\alpha_1 = \frac{B_{F1}}{B_S}, \alpha_2 = \frac{B_{F2}}{B_S}, \alpha = \alpha_1 + \alpha_2 = \frac{B_{F1} + B_{F2}}{B_S}, \beta = \frac{B_S}{A_S G_C L^2} \tag{35}$$
$$\lambda^2 = \frac{1+\alpha}{\alpha\beta} = L^2 \left(\frac{B}{B_{F1} + B_{F2}} \frac{G_C A_S}{B_S}\right) \tag{36}$$
类似的方法,可以消去 w,得:
$$\gamma'' - \left(\frac{\lambda}{L}\right)^2 \gamma = -\frac{\beta \lambda^2 V}{B} \tag{37}$$
解(34)、(37)得:
$$w = D_1 \cos \frac{\lambda x}{L} + D_2 \sin \frac{\lambda x}{L} + D_3 + D_4 x + w_p \tag{38}$$
$$\gamma = F_1 \cosh \frac{kx}{L} + F_2 \sinh \frac{kx}{L} + \gamma_p \tag{39}$$
式中,w_p, γ_p 是与荷载相关的特解,可以很容易找到两个解:
$$F_1 = (1+\alpha)\frac{\lambda}{L} m_2, F_2 = (1+\alpha)\frac{\lambda}{L} m_1 \tag{40}$$
同时可以得到简支夹芯板的边界条件为:
$$w(0) = 0, w(L) = 0, w''(0) = 0, w''(L) = 0 \tag{41}$$
对于夹芯板在均布荷载作用下,由以上各式可以得到:
$$M = \frac{qL^2}{2}(\eta - \eta^2), V = \frac{qL}{2}(1 - 2\eta), \eta = x/L \tag{42}$$

$$w_p = \frac{qL^4}{24B}\left(\eta^4 - 2\eta^3 - \frac{12}{\alpha\lambda^2}\eta^2\right) \quad (43)$$

$$\gamma_p = \frac{qL^3\beta}{2B}(1-2\eta) \quad (44)$$

将边界条件代入，整理可得到最终解为：

$$w = \frac{qL^4}{B}\left[\frac{1}{24}\eta(1-2\eta^2+\eta^3) + \frac{\eta(1-\eta)}{2\alpha\lambda^2} - \frac{\cosh\frac{\lambda}{2} - \cosh\frac{\lambda(1-2\eta)}{2}}{\alpha\lambda^4\cosh\frac{\lambda}{2}}\right] \quad (45)$$

$$\gamma = \frac{qL^3}{B}\left[\frac{1-2\eta}{2} - \frac{\sinh\frac{\lambda(1-2\eta)}{2}}{\lambda\cosh\frac{\lambda}{2}}\right] \quad (46)$$

令 $f_1(\lambda) = 1 - \frac{1}{\cosh(\lambda/2)}$，$f_2(\lambda) = \tanh(\lambda/2)$，通过进一步计算推导可以得到所需要跨中位置弯矩及端部剪力为：

$$M_{F1} = \frac{qL^2}{8} \times \frac{\alpha_1}{1+\alpha}\left[1 + \frac{8}{\alpha\lambda^2}f_1(\lambda)\right],$$

$$M_{F2} = \frac{qL^2}{8} \times \frac{\alpha_2}{1+\alpha}\left[1 + \frac{8}{\alpha\lambda^2}f_1(\lambda)\right] \quad (47)$$

$$M_S = \frac{qL^2}{8} \times \frac{1}{1+\alpha}\left[1 - \frac{8}{\lambda^2}g_1(\lambda)\right] \quad (48)$$

$$V_{F1} = \pm\frac{qL}{2} \times \frac{\alpha_1}{1+\alpha}\left[1 + \frac{2}{\alpha\lambda}f_2(\lambda)\right],$$

$$V_{F2} = \pm\frac{qL}{2} \times \frac{\alpha_2}{1+\alpha}\left[1 + \frac{2}{\alpha\lambda}f_2(\lambda)\right] \quad (49)$$

$$V_S = \pm\frac{qL}{2} \times \frac{1}{1+\alpha}\left[1 - \frac{2}{\lambda}f_2(\lambda)\right] \quad (50)$$

将 $\eta = 0.5$ 代入式（45），就可以得到跨中最大挠度：

$$w_{0.5} = \frac{qL^4}{B}\left\{\frac{5}{384} + \frac{1}{8\alpha\lambda^2}\left[1 - \frac{8}{\lambda^2}f_1(\lambda)\right]\right\} \quad (51)$$

显然公式(51)推导过程和公式的参数计算过于复杂，很难在工程中得到实际应用，为此对其进行简化。屋面夹芯板受力时可分为两部分：一部分是屋面夹芯板面板的自身刚度用来承担弯矩和剪力；一部分是夹层部分中的面板的轴力对中性轴 O-O 的乘积承担弯矩(芯材忽略)以及夹芯部分中芯材承担剪力，两部分虽然独立，但变形协调。这一点也是公式简化推动可行的重要依据。令夹层部分承担的均布荷载为 q_S，面板自身承担的均布荷载为 q_D，即：

$$q = q_S + q_D \tag{52}$$

对于夹芯部分：可夹层部分在荷载 q_S 作用下的跨中挠度为：

$$w_S = \frac{5}{384} \times \frac{q_S L^4}{B_S} + \frac{K q_S L^2}{8 G_C A_S} = \frac{5}{384} \times \frac{q_S L^4}{B_S}(1+k_q) \tag{53}$$

对于翼缘处面板自身：由于翼缘为冷压薄壁钢材，剪变模量很大，在均布荷载作用下剪切变形很小可以忽略不计，分析方法与夹芯部分不同，翼缘处采取经典的梁理论就可以。对式(2)做变换，去掉剪切变形部分，通过积分可以得到在均布荷载 q_D 作用下跨中的挠度为：

$$w_D = \frac{5}{384} \times \frac{q_D L^4}{B_D} \tag{54}$$

由翼缘与夹芯部分变形协调可以得出公式 $w_S = w_D$，可得：

$$q_S = q \times \frac{B_S}{B_S + (1+k_q)B_D} = q(1-\delta) \tag{55}$$

$$q_D = q \times \frac{(1+k_q)B_D}{B_S + (1+k_q)B_D} = q\delta \tag{56}$$

$$\delta = \frac{(1+k_q)B_D}{B_S + (1+k_q)B_D} = \frac{B_{F1} + B_{F2}}{B_{F1} + B_{F2} + \dfrac{B_S}{1+k_q}} \tag{57}$$

可以得到跨中近似弯矩及剪力：

$$M_S = (1-\delta)\frac{qL^2}{8} \tag{58}$$

$$M_{F1} = \delta_1 \delta \frac{qL^2}{8} \tag{59}$$

$$M_{F2} = \delta_2 \delta \frac{qL^2}{8} \tag{60}$$

式中 δ_1,δ_2 为上、下面板与翼缘刚度比,即:

$$\delta_1 = \frac{B_{F1}}{B_{F1}+B_{F2}}, \delta_2 = \frac{B_{F2}}{B_{F1}+B_{F2}} \tag{61}$$

$$k_q = 3.2k = \frac{9.6B_S}{L^2 G_C A_S} \tag{62}$$

从而得到跨中最大挠度近似为:

$$w = \frac{5}{384} \times \frac{qL^4}{B_S}(1+k_q)(1-\delta) \tag{63}$$

在温度荷载作用下,屋面夹芯板会发生变形,虽然整个结构为简支,支座处没有反力,但是由于翼缘具有不可忽略的刚度,将会在夹层部分和翼缘部分产生了相互作用的力。可以通过上述所使用的微分方程平衡法推出温度作用下屋面板的各个主要部位的受力情况和挠度。按照以上方式近似求解跨中挠度的最大值。假定在温度作用下,夹层和翼缘的弯矩均匀分布,分别为 M_S, M_D。由于夹芯板简支,无支座力产生,所以夹芯板夹芯部分和翼缘弯矩必定大小相等,即:

$$M_S = eN = -M_{F1} - M_{F2} = -M_D \tag{64}$$

夹芯部分在局部弯矩作用下,单位跨度范围内将产生单位转角 θ_1;同时夹芯部分单元也将产生剪力 V_1。

$$\theta_1 = \frac{M_S}{B_S}, V_1 = \frac{M_S}{L_S}, V_1 = M_S \tag{65}$$

由材料力学可以推出对于夹层部分的挠度为:

$$w_S = \frac{\theta L^2}{8} + \frac{M_S L^2}{8B_S} + \frac{M_S}{A_C G_C} \tag{66}$$

对于面板翼缘:

$$w_D = \frac{M_D L^2}{8B_D} \tag{67}$$

由 $w_S = w_D$ 和 $M_D = -M_S$ 可以得到：

$$M_S = -(1-\delta_T)(B_{F1} + B_{F2})\theta \quad (68)$$

$$M_{F1} = \delta_1(1-\delta_T)(B_{F1} + B_{F2})\theta \quad (69)$$

$$M_{F2} = \delta_2(1-\delta_T)(B_{F1} + B_{F2})\theta \quad (70)$$

$$\delta_T = \frac{B_{F1} + B_{F2}}{B_{F1} + B_{F2} + \dfrac{B_S}{1+k_T}}, k_T = \frac{8B_S}{L^2 G_C A_S} \quad (71)$$

最后得到跨中挠度的最大值为：

$$w = \frac{\theta L^2}{8}(1-\delta_T) \quad (72)$$

2　均布荷载作用下的多跨连续板：

本条描述了如何使用手算的方法设计后面板连接多跨板，试验是最好的方法。

连续厚度的夹芯板在简单情况下，其应力结果和挠度可以通过解析方法得到，但是在很多情况下该表达式变得很复杂，需要参考欧洲规范 *European Recommendations for Sandwich Panels Part Ⅰ: Design* 介绍的表格或运用有限元软件来计算。

连续夹芯板的静力行为是通过确定均布荷载和面板温差引起的弯矩、支座反力、中间支撑处的剪切力等来解释说明。

本条正文应力公式仅适用与一层面板是深压型的。

5.2.3 开洞平面或浅压型夹芯板变形计算来源哈尔滨工业大学研究报告《开洞金属面夹芯板抗弯性能研究》。

变形公式是在弹性的范围内得到的。通过建立平衡微分方程，对开洞区域和无开洞区域进行积分，得到夹芯板每点的变形公式。然后与完整无开洞板的变形公式进行对比以及大量的开洞尺寸回归，最终得到了一个折减系数 β 以及开洞的变形公式。

对于其他形式的开洞和荷载作用方式，应进行相应的理论公式推导或者试验研究。

在跨中开洞，方形洞口和一定洞口的约束条件下，开洞金属面夹芯板的变形主要是包括弯曲变形和剪切变形。变形公式的推导主要是依据完整板的公式推导过程,建立相应的微分方程进行分段积分得到。把夹芯板分为开洞区域和无开洞区域,开洞区域的截面相应的进行折减,包括荷载和截面刚度进行折减,折减系数为:

$$n = 1 - \frac{b}{B} \tag{73}$$

式中:b——洞口宽度;

B——板宽;

L——板跨度。

开洞夹芯板均布荷载作用如图 11 所示:

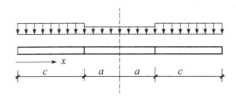

图 11 开洞夹芯板均布荷载作用示意图

取一半夹芯板,则弯矩和剪力为:

$$M_1 = (qc + q_1 a)x - \frac{1}{2}qx^2 \quad (0 \leqslant x \leqslant c) \tag{74}$$

$$M_2 = (qc + q_1 a)x - qc(x - \frac{1}{2}c) - \frac{q_1}{2}(x-c)^2$$

$$= q_1 ax + \frac{1}{2}qc^2 - \frac{q_1}{2}(x-c)^2 \quad (c \leqslant x \leqslant a+c)$$

$$\tag{75}$$

$$V_1 = M'_1 = qc + q_1 a - qx \tag{76}$$

式中:q_1——开洞区域荷载,$q_1 = q\left(1 - \dfrac{b}{B}\right)$。

则开洞夹芯板的弯曲变形 y_B 为:

$$y''_1 = -\frac{M_1}{B_S} \quad (0 \leqslant x \leqslant c) \tag{77}$$

$$y''_2 = -\frac{M_2}{B'_S} \quad (c \leqslant a \leqslant a+c)) \tag{78}$$

$$y_B = y_1 + y_2 \tag{79}$$

式中:B'_S——开洞区域弯矩,$B'_S = B_S\left(1 - \dfrac{b}{B}\right) = nB_S$。

同样开洞夹芯板剪切变形 y_s 为:

$$y''_3 = \frac{V'_1}{A_C G_{eff}} \quad (0 \leqslant x \leqslant c) \tag{80}$$

$$y''_4 = \frac{V'_2}{A'_C G_{eff}} \quad (c \leqslant a \leqslant a+c) \tag{81}$$

$$y_s = y_3 + y_4 \tag{82}$$

通过以上的分段积分,最终得到了开洞夹芯板的变形 ω' 为弯曲变形和剪切变形之和:

$$\omega' = y_B + y_s = \begin{bmatrix} y_1 + y_s & (0 \leqslant x \leqslant c) \\ y_2 + y_s & (c \leqslant a \leqslant a+c) \end{bmatrix} \tag{83}$$

特别的是,当 $x = a + c$ 时,即跨中挠度达到最大值,为:

$$\begin{aligned}
\omega'_{max} = &-\frac{q}{B'_S}\left\{\frac{1}{6}na(a+c)^3 + \frac{1}{4}c^2(a+c)^2 - \frac{1}{24}na^4 \right.\\
&+ \left[-na\left(\frac{1}{3}a^2 + ac + \frac{1}{2}c^2\right) - \frac{1}{2}c^2(a+c)\right](a+c) \\
&+ \left.\frac{B'_S}{B_S}\left(-\frac{1}{3}nac^2 - \frac{1}{24}c^4\right) + \frac{1}{3}nac^3 + \frac{1}{4}c^4\right\} \\
&+ \frac{q(a+c)^2}{2A_C G_{eff}} = mq
\end{aligned} \tag{84}$$

式中,

$$\begin{aligned}
m = &-\frac{1}{B'_S}\left\{\frac{1}{6}na(a+c)^3 + \frac{1}{4}c^2(a+c)^2 - \frac{1}{24}na^4\right. \\
&+ \left[-na\left(\frac{1}{3}a^2 + ac + \frac{1}{2}c^2\right) - \frac{1}{2}c^2(a+c)\right](a+c)
\end{aligned}$$

$$+ \frac{B'_S}{B_S}\left(-\frac{1}{3}nac^2 - \frac{1}{24}c^4\right) + \frac{1}{3}nac^3 + \frac{1}{4}c^4 \Big\}$$
$$+ \frac{(a+c)^2}{2A_C G_{eff}} \tag{85}$$

在实际的运用中,需要对 m 进行简化,同时需要对公式进行修正。通过多组的开洞尺寸的数值分析和试验验证进行修正,结果如下:

$$\omega_{o,max} = \beta \omega'_{max} = \beta mq \tag{86}$$

式中,β 的值为 0.905。

通过开洞和无开洞板的变形对比,得到变形系数:

$$K_B = \frac{\omega'_B}{\omega_B} = 0.093\left(\frac{b}{B}\right)^2 + 0.444\frac{b}{B} + 0.965$$
$$0.1 \leqslant b/B \leqslant 0.5 \tag{87}$$

$$K_B = \frac{\omega'_B}{\omega_B} = 12\left(\frac{b}{B}\right)^2 - 13.3\frac{b}{B} + 4.93$$
$$0.5 \leqslant b/B \leqslant 0.8 \tag{88}$$

式中:K_B——变形系数;

ω'_B——开洞弯曲变形;

ω_B——无开洞弯曲变形。

最后 m 的简化结果如下:

$$m = K_B \omega_B/q + \frac{L^2}{8A_C G_{eff}} = \frac{L^4}{384 B_S}(5K_B + 16k) \tag{89}$$

最终开洞金属面跨中的最大变形计算公式为:

$$\omega_{o,max} = \beta \omega'_{max} = \beta mq = \frac{\beta qL^4}{384 B_S}(5K_B + 16k) \tag{90}$$

变形主要是发生弯曲变形和芯材剪切变形,洞口区域的变形会突增。

开洞夹芯板应考虑:

(1)公式是在弹性的范围内推导得到,在正常使用极限状态下,$\omega_{o,max}$ 一般取 L/200。

（2）宽度方向的开洞极大地削弱了截面的抗弯刚度，因而开洞洞口宽度方向对承载力的影响比长度方向影响大，变形系数 K_B 是在不考虑洞口长度的情况下回归得到，对结果影响不大。

（3）对于其他形式的开洞和荷载作用方式，应进行相应的理论公式推导或者试验研究。

5.3 夹芯板应力计算

5.3.1、5.3.2 设计中应该考虑夹芯板与其他的结构形式不同的特点，其中最重要的就是在分析应力和变形时考虑到芯材的弹性性能，必须注意到剪切变形的影响。比较计算组合截面时的经典抗弯理论，对板截面的伯努利假设仅适用于个体单元截面的计算，并不适用于整体截面。其中剪变模量是夹芯板在室内常温下的平均值，是一个常数，用于应力计算与挠度计算。剪变模量应该通过特定的夹芯板产品试验测得。

对于薄表面夹芯板，忽略面板的弯曲刚度。

对于厚表面夹芯板，自身弯矩 M_{F1}、M_{F2} 引起的应力 N_{F1}、N_{F2} 线性分布在面板的厚度上，剪力 V_S 造成剪切应力 τ_c，均匀分布于芯材的厚度内，剪力 V_{F1}、V_{F2} 在上下面板引起剪应力 τ_{F1}、τ_{F2} 假定为常数。

假定在挠度控制的设计范围内，芯材和面板的材料保持线弹性，同时也可假设芯材的拉伸刚度相对于面板很小，为此忽略水平方向上的芯材的法向应力。

深压型夹芯板简化为翼缘、夹芯部分是理论分析的基础。

简支平面或浅压型及深压型或压型钢板在外部荷载及内部荷载作用下的简化方法参考欧洲规范 *European Recommendations for Sandwich Panels Part* Ⅰ：*Design*，但对于一些更复杂的荷载条件，需要采用有限元法、数值解法。

平面或浅压型及深压型或压型钢板夹芯板的经历特性可以运用一般的有限元程序加以模拟。许多现代的有限元程序包含三维壳单元,其中包括薄膜效应,弯曲及剪切作用做成的位移。

5.3.4 分布系数 k 考虑了面层刚度对芯材压应力的影响。

支座处压应力的计算模型中,假设支撑板为刚性,支座压力对称分布于支座线。对于柔性支撑结构,例如,开口冷弯截面,假设支座压力在一个较小区域上分布;端支座为 $k_\mathrm{f}L_\mathrm{s}+ke/2$,中间支座为 $k_\mathrm{f}L_\mathrm{s}+ke$,其中 $k_\mathrm{f}\leqslant 1$。

5.4 夹芯板承载力计算

5.4.2 本条是关于面板局部稳定性计算的规定。

1 平表面及浅压型夹芯板面板的屈曲应力:

针对于皱曲强度,面板的屈服强度对其影响很小,而芯材的强度与模量对其影响较大。因为面板、芯材及粘结的初始缺陷对平面金属面板、浅压型金属面板或微异型金属面板的抗压强度影响很大,因此,推荐根据全尺寸试验来确定他们的皱曲应力 σ_w。

系数 k 是常数,其值取决于面板、芯材和粘结的缺陷和质量一般通过试验确定。对于连续胶合的质量较好的聚氨酯夹芯板, $k=0.65$ 是比较合适的。$k=0.5\sim 0.65$ 可能对于其他芯材和制造方法是比较合适的。

E_{CT} 和 G_{CT} 与温度相关时,取平均值。

浅压型面板的计算皱曲应力应不小于相同厚度的平面。对于浅压型或微浅压型面板,如果加强肋的深度,即低槽与坡顶的距离,不大于金属面板厚的 5 倍,且面板平板部分 $b/t<100$,则公式是有效的。

在很多情况,上述 σ_w 的方程是保守的,根据试验得到的结果往往要大一些。

只有粘结强度满足要求时,公式才有效。

对于无机芯材夹芯板,无机芯材可能存在横向接缝的缺陷,要通过全尺寸试验来确定其皱曲应力。

2 深压型或压型钢板夹芯板面板的局部屈曲:

深压面板的抗压强度取决于面板材料的屈服应力、面板最大应力部分的宽厚比、芯材的抗压刚度和剪切刚度。另外,还取决于面板和芯材粘结时引起的初始缺陷。根据欧洲规范 *European Recommendations for Sandwich Panels Part* Ⅰ:*Design*,为了得到准确值,采用有效宽度法(图12)计算。

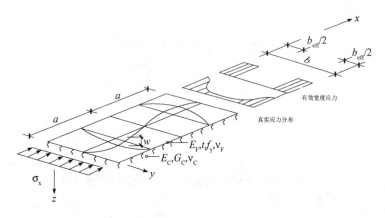

图12 面板有效宽度应力的分布定义

5.4.3 芯材剪切破坏的极限状态可采用最大剪力截面的平均计算剪应力确定方程。采用粘结剂的夹芯板,应确保粘结剂不会在芯材本身破坏前失效。

夹芯板中采用带横向接缝的离散芯材材料时,用试验对最不利接缝位置的完整夹芯板评估其剪切强度。当仅芯层有部分与面板粘结时,比如,只与翼缘而不是整个异型面板粘结,应对完整板试验来评估其剪切强度,并考虑到夹芯板的长期性能和强度。不推荐使用这种部分粘结方式,因为会在粘结中出现剪应力集中,并存在剪切破坏的危险。

长期荷载作用下,芯材的剪切强度降低。如果设计一块夹芯板长期承受永久荷载,则应考虑其剪切强度的折减。本规程附录A第A.2.4条给出了一个确定长期剪切强度的试验方法。

在内部支座处,当从平表面面板(芯材承受所有剪力)向深压

型面板(芯材承受所有或部分剪力)过渡时,基本方程可能变得不再适用。因此:

(1)对所有平表面或浅压型或微压型面板的夹芯板,芯材承受所有剪力。

(2)对深压型面板的夹芯板,应证明所有剪力由芯材或面板单独承受。

5.4.4 深压型或压型钢板夹芯板面板剪切强度计算采用基于梯形金属板的表达式来考虑芯材的影响。

除非已经验证一个考虑芯材支撑作用的设计方法是可行的,否则,应忽略芯材抵抗腹板屈曲的影响。

6 连接件的设计

6.0.1 连接件的主要拉力通常是由风吸力或面板间温差引起的,而次要拉力可能是由上升荷载或下降荷载的撬力作用引起的。

连接的拉伸破坏模式需应考虑下图所示的八种破坏模式:

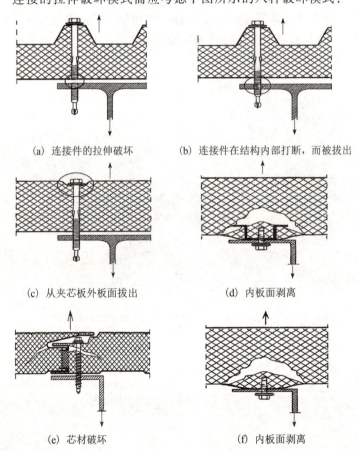

(a) 连接件的拉伸破坏　　(b) 连接件在结构内部打断,而被拔出

(c) 从夹芯板外板面拔出　　(d) 内板面剥离

(e) 芯材破坏　　(f) 内板面剥离

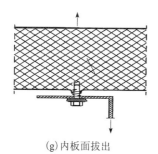
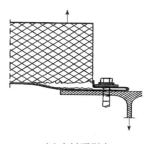

(g)内板面拔出　　　　　　　(h)内板面剥皮

图 13　连接的拉伸破坏模式

连接的拉伸破坏应注意下列几个方面：

（1）当板相对于连接件强度较高时，或采用不合适的连接件时，可能会发生图18（a）所示的破坏模式。

（2）当支撑构件较薄，或连接件锚固不够时，可能会发生图18（b）所示的破坏模式。

（3）对于图18（c）所示的破坏模式在夹芯板中，"拔出"破坏模式是受芯材刚度影响的，如图中所示，从夹芯板外板面拔出，会降低其抵抗天气的性能。

（4）当衬垫的拉伸强度高于芯材区域的拉伸强度时，就可能发生图18（d）所示模式内面板的剥离。

（5）应注意图18（f）和图18（g）中的连接系统，它们特征强度很低。在一些国家是不推荐采用的。

（6）对于图18（h）的破坏模式：①当只固定内板面，且没有局部加强时，则可能会发生内板面剥离或拔出破坏。②当只在侧边固定内板面，且没有局部加强时，则可能发生内板面剥皮。除了特殊情况，不推荐采用易剥离或脱皮的连接件。

6.0.2　假设剪力只在夹芯板的内板面出现。引起主要剪力的原因有：

①恒载（如，外立面等）；

②面板材料的温度变化。

引起次要剪力的原因有：

①偏心固定的板端部绕其中性轴的转动；
②膜作用。

夹芯板中如果将受力面层设计成承受平面内剪力来代替防风拉条，不在本规程内。

由面板温度变化引起的连接剪力的计算中可考虑连接的滑移，面板应变，支撑框架的变形等。当有足够的变形承载力时，则可忽略这些剪力。

连接的剪切的破坏模式需要考虑图14所示的五种破坏模式：

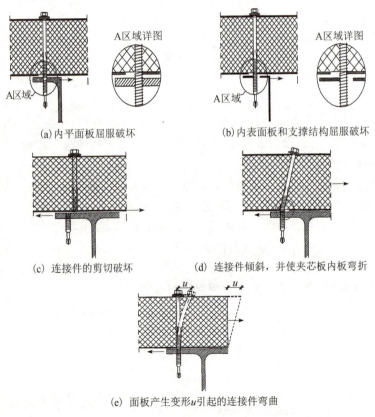

图14 连接的剪切破坏模式

连接的剪切破坏模式应注意：

图 14（c）所示的破坏模式可能会在板厚相对连接件直径较大时发生，或采用不合适的连接件时。

图 14（d）所示的破坏模式可能是连接件相对较柔时，会发生伴有夹芯板内板弯折或撕裂的连接破坏模式。内板面承担大部分剪切荷载，因此，在设计中可认为承担全部剪切荷载。

图 14（e）所示的破坏模式可能是由于面板间温差引起的相对位移 u，会引起外层面板的屈服或弯折，从而引起连接件的弯曲。在薄支撑中（如冷弯薄壁构件），可能会引起支座的变形。当 u 值足够大时，会引起连接件破坏。

7 构造规定

7.1 夹芯板的支撑

7.1.2 当荷载不得不在洞口周边传递时,如果所加荷载的值与沿板边缘的允许荷载值相同,设有附加支撑结构是必要的,并且至少在洞口每边留出25%板的有效宽度。

当开口面积大于200mm×200mm,额外的加强约束是十分必要的,如在板上加加劲肋。其他布置情况需要额外的检查或试验。

7.2 夹芯板间的连接

7.2.2 夹芯板凸凹连接构造其他形式(图15):

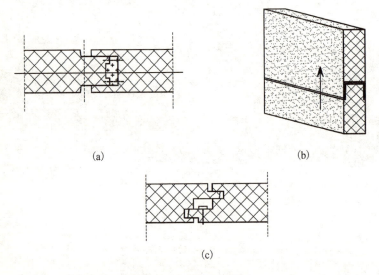

图15 凸凹接口示意图

7.2.3 夹芯板叠加连接构造其他形式(图16):

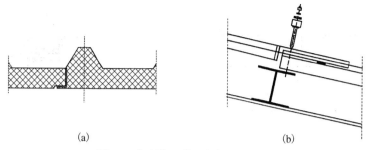

图 16 凸凹接口的叠加部分示意图

7.2.4 夹芯板有凹凸边缘的凹凸叠加复合连接构造其他形式(图17)：

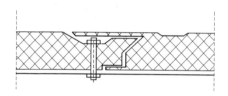

图 17 凸凹边缘的叠加复合连接部分示意图

7.2.5 夹芯板对接连接构造其他形式(图18)：

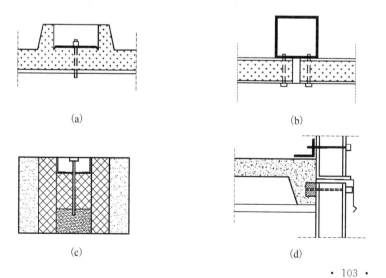

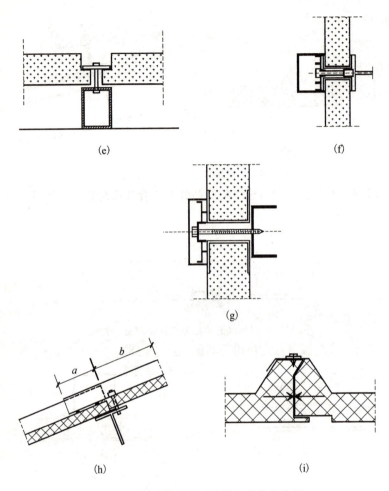

图 18 对接连接使用互补附加构件示意图
注：a 取决于坡度和场地条件且大于 150mm；b—跨度

7.3 紧 固 件

7.3.1 紧固构件除了固定板承担荷载,也起到美化外观的作用,因此其尺寸与位置也应满足美观的要求。

隐蔽式紧固件应确保金属面板内表面不发生分层,要加强金属面板内表面要在支撑区域的强度,或在其外表面用特殊的方法夹紧固定。

当紧固构件仅用于板缝处,要注意温度变化产生的板宽方向变形足够小。

7.3.4 条文中表 7.3.4 是根据欧洲规范 *Preliminary European Recommendations for Sandwich Panels Part* Ⅱ: *Good Practice* 得来的。这些内容代表在气候条件下的腐蚀危险。

7.4 其他构造

7.4.1 建筑设计中定义适宜的屋顶坡度时应考虑下列参数:
(1)从屋脊到屋檐的屋顶宽度;
(2)外轮廓面高度;
(3)边缘节点和端节点类型;
(4)板载荷载下的挠度和子结构的任何变形;
(5)开口数量和面积;
(6)形成积水池和积雪池的可能性;
(7)气候条件和建筑所受主风向;
(8)紧固类型和布置;
(9)透明板的存在。

同时,材料表面对屋面坡度有要求:坡度较小时,流下来的水,清洗板表面有害药剂功能减小,也降低了搭接处水的干燥,增加水滞留带来的危害。

最小坡度很大程度上取决于外表面的几何形状。

型钢板允许相邻板搭接,并且螺丝能紧固到板的上部。

若板的边缘有特殊形状的凹凸将会是很有利的,因为这样板与板之间就可以在长度方向相连接(图19)。

根据荷载计算要求,板的端部节点必须固定在结构支撑处,此时板和板搭接处节点需要更多紧固件(图20)。

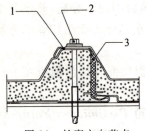

图 19 长度方向节点

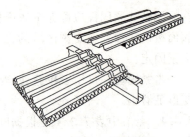

图 20 端搭接

1—密封带;2—自攻螺丝;3—填充物

下面列出一些连接节点示意图(图 21～图 33),供参考。

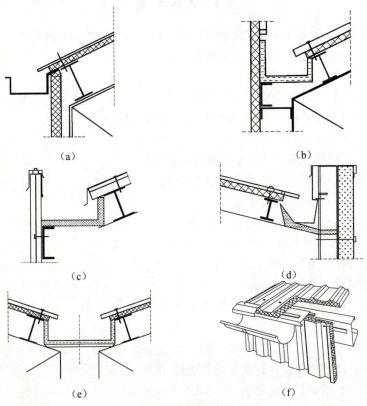

图 21 屋檐处节点示意图

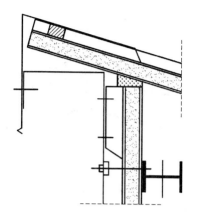

图 22 屋脊连接示意图

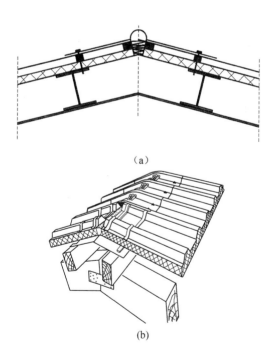

(a)

(b)

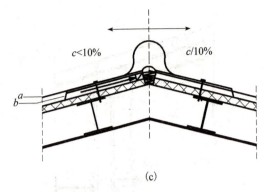

图 23 斜屋顶-屋脊泛水示意图
a—展开法兰；b—降低法兰；c—屋顶坡度

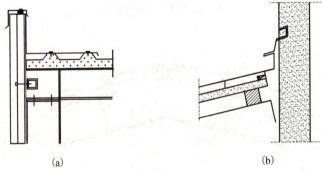

图 24 同墙板连接示意图

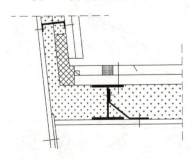

图 25 墙面连接示意图

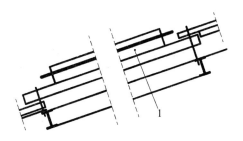

图 26 开口和渗透示意图
1—为了照明、通风、排烟、凸出而设置的增强纤维中的绝热基座

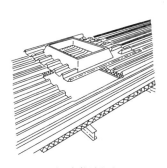 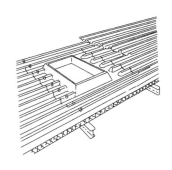

（a）安装过程中　　　　　　　　（b）最终位置

图 27 开口和渗透示意图

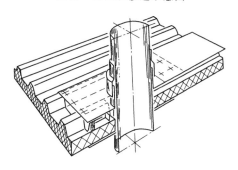

图 28 通风管道穿透示意图

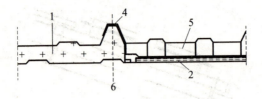

图 29 预制半透明面板采光单元的纵向连接

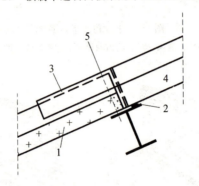

图 30 连接节点

1—夹芯屋面板；2—风口密封；3—搭接接头密封；4—预制半透明；
5—当不使用钩头螺栓时固定螺栓位置

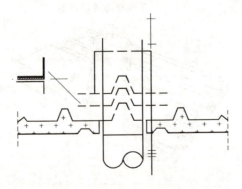

图 31 通风管道穿透详图

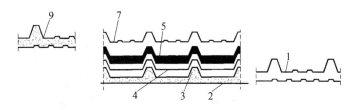

图 32 横截面示意图

注：下表面放置在投影区，上表面半透明处带来最后的修整

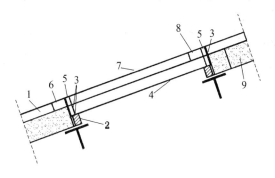

图 33 纵截面示意图

1—夹芯屋面板；2—楔形板取代这个高度的面板，其中面板有大于30mm厚的绝缘层；
3—下封闭接头；4—低半透明轮廓；5—上封闭接头；6—搭接接头密封；
7—上半透明轮廓；8—搭接接头密封；9—夹芯屋面板

7.4.2 墙板与相对垂线的最大夹角应小于30°，否则应该按屋面板设计。

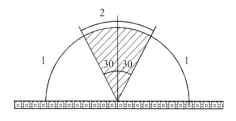

图 34 夹角定义示意图

1—屋顶板；2—墙面板

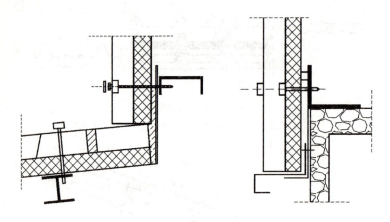

图 35 面板末端典型紧固详图

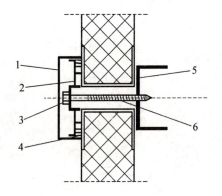

图 36 用额外的防水盖片连接示意图
1—装饰罩;2—配置构件;3—自攻丝螺钉;
4—铝型材密封条;5—构架;
6—绝缘配合(建造时被用作泡沫带)

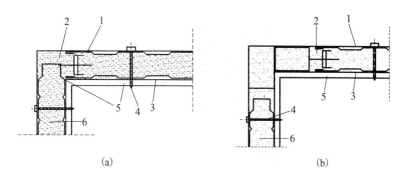

图 37 转角处板的连接示意图
1—外部装饰;2—绝缘体;3—内部装饰;4—紧固件;
5—金属支撑;6—墙面板

预制隔热防水角板

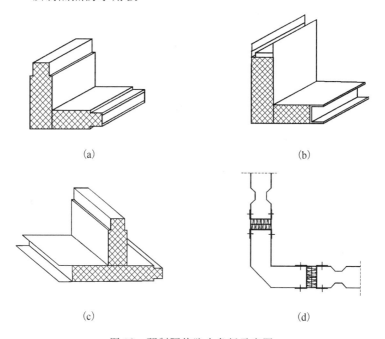

图 38 预制隔热防水角板示意图

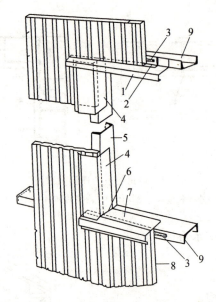

图 39 开放式搭设施工示意图
1—防水盖板在顶部导轨下；2—缓冲地带；3—发泡密封剂；4—门框装饰；
5—金属支撑；6—乳香密封；7—窗台防水盖板；
8—面板；9—支撑系统

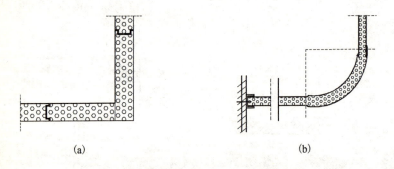

图 40 用带弯角的泡沫角部连接详图

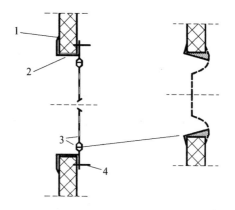

图 41 半透明板直接安装在有专用垫片的开口面板上示意图
1—密封胶;2—排水孔;3—氯丁橡胶片;4—紧固件

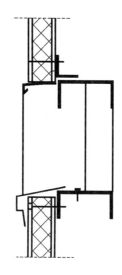

图 42 框架建造中的开口细节示意图

8 安　　装

8.1 包　　装

8.1.1、8.1.2 夹芯板尺寸尽量相同,不同尺寸的数量应保持最小。

8.2 存　　放

8.2.1 现场存储的时间应保持尽可能短,以避免材料的损坏和变质。

8.4 安　　装

8.4.3 切割机如碳化硅或便携式圆锯,会产生热金属屑,这些金属屑会蔓延到整个表面并且粘到塑胶涂层上。这些金属屑会生锈使涂层受污。

　　支垫的损坏是可以避免的,只需要在邻近卡盘的钻柄处附着一个橡胶垫层即可。当紧固板两个面时,避免在旋入螺栓时对板面的加载凹陷,要小心钻孔。避免表面破坏的有效方法是在钻孔处应用垫圈,并将垫圈面朝向板,每次在金属表面钻完孔后,移走木楔以防生锈并发生应变。

附录 A 试验方法和要求

A.1 一般要求

A.1.1 除非另有说明,无论加载设备还是测量设备,要保证最少1‰的精确度,且所有的变形需不低于0.1mm的精确度。

A.1.2 条文表 A.1.2 中分位系数的依据是国际标准《建筑材料和部件质量控制的统计方法》ISO 12491—1997。

A.1.4 对基准老化循环 C1,在循环的第一个单元中,应将试样保存在密闭盒子中水面上方的网格中,并控制盒子中空气的温度,而不是水的温度。

对 C2 试验,在此循环中,将试样保存在密闭盒子中水面上方的网格中,并控制盒子中空气的温度,而不是水的温度。

A.2 材料性能试验方法

A.2.2 芯材与面板的粘结非常重要的,因此应取完整的面板试样,并且不能在粘结层发生破坏。

对具有压型面板的试样应从如图43所示的主要厚度处截取。

图 43 厚度处截取示意图

通常,较大尺寸的试件结果较好。如果可能的话,试件宽度应至少大于 100mm,也可采用直径大于等于 50mm 的圆柱试样。

对岩棉芯材试样,宜需要更大的标本,即 $100\text{mm} \leqslant b \leqslant d_c$。

对于没有表现出明确极限荷载的试件,F_u 可定义为指定相对变形时对应的荷载。对聚氨酯泡沫,10%的相对变形是合理的。对更刚的孔结构或非孔结构,可采用较低值。

通常,高温试验时,先将试件加热到略高于 80℃,并在其温度降低 80℃前,立即对其进行试验。

一定要注意速率的控制要求,拉伸试验速率过大不适合于测量夹芯板芯层的拉伸强度及模量。

A.2.3 对于压型夹芯板,截取的试样同前面芯材拉伸试验。通常,较大尺寸的试件结果较好。如果可能的话,试件宽度应至少大于 100mm,也可采用直径大于或等于 50mm 的圆柱试样。对岩棉芯材试样,一般需要更大的标本,即 $100mm \leqslant b \leqslant 2d_c$,除了试件尺寸和使用固定加载模具外,该试验应符合国际标准 ISO 844 *Cellular plastic. Compression test for rigid materials* 或其他芯材有关的标准。

对于没有表现出明确极限荷载的试件,F_u 可定义为指定相对变形时对应的荷载。对聚氨酯泡沫,10%的相对变形是合理的。对更刚的孔结构或非孔结构,可采用较低值。

一定要注意速率的控制要求,试验速率过大不适合于测量夹芯板芯层的抗压强度及模量。

A.2.4 本条对芯材剪切试验做出了规定。

1 短期加载:

(1)如果没有发生剪切破坏,可每次使板跨减小 100mm,直到发生剪切破坏。典型的剪切破坏如图 44。

图 44 剪切破坏示意图

发生剪切破坏而不是皱曲破坏的条件是:

$$L < \frac{3t_1\sigma_w}{f_{Cv}} \tag{92}$$

式中：t_1——上表面钢板的金属厚度，不包含表面覆盖层；

f_{Cv}——芯材的剪切强度；

σ_w——上钢板的皱曲应力。

（2）为了避免支座处芯材的压缩变形相对试件变形过大，试件板跨 L 不应太小。对于硬质塑性泡沫，板跨 L 应符合限制：

$$L \geqslant \frac{108G_C d_C}{E_C \left(\dfrac{4L_s}{d_C} + 1 \right)} \tag{93}$$

式中：G_C——芯材的剪变模量（MPa）；

E_C——芯材的弹性模量（MPa）；

d_C——试样中芯材的厚度（mm）；

L_s——支座宽度（mm）。

如果不满足上述条件，则应考虑支座处芯材的压缩变形，对其进行测量（通过图表中仪表给出的 w_{s1} 和 w_{s2}）。计算中所采用的变形 w 为减去 $w_{s1} + w_{s2}$ 后的修正值。

（3）试样宽度 b 应为无加强肋的平面宽度。

（4）通常支座及加载点处的金属板条宽度 L_s 为 60mm。为了避免芯材的局部压碎，如果需要的话，该值可增加。

（5）控制加载速率，使得试件在试验开始后 5min～10min 内发生破坏。

（6）对硬质泡沫材料夹芯板的剪切强度，四点弯曲试验通常比其他可用方法更能得到可靠的剪切强度及刚度。然而，对于矿物棉芯材夹芯板，宜采用其他剪切试验，如带有节点的全宽度板试验或搭接试验。

（7）用于矿物棉芯材的试样宽度 b 可适当增大些。

（8）不推荐基于搭接接头的拉伸或压缩试验方法，因为，该方法通常得到的结果比推荐的方法要差。

(9)如果在设计和试验中采用不同的方法,应证明它们之间的关系。

2 长期加载下回归算例见图 45。

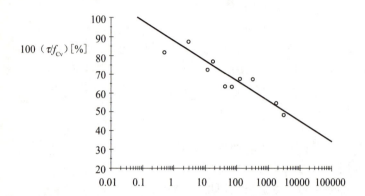

回归直线算例: $100(\tau/f_{Cv}) = -4.58900 \times \ln(t) + 87.5289$
$100(\tau/f_{Cv}) = -4.58900 \times \ln(100000) + 87.5289 = 34\%$

图 45 确定长期剪切强度

注:τ 为试件的剪切应力,f_{Cv} 为短期的剪切强度。

A.2.5 整板剪切强度的试验应注意下列几个方面:

(1)如果为平面或浅压型夹芯板,本试验方法可作为第 A.2.4 条的其他选用方法;

(2)如果对小跨度板进行了本规程第 A.2.6 条的试验,则没有必要再做本试验;

(3)板跨应足够小以确保试件发生剪切破坏;

(4)控制加载速率,使得试件在试验开始后 5min～10min 发生破坏;

(5)采用真空加载时,荷载大小应通过工具测量,而不是空气压力。

A.2.6 本条对夹芯板抗弯强度与刚度试验做出了规定。

支座在试验前应进行预压。

试验中充分考虑以下因素来确定其皱曲应力：

(1)芯材的非匀质性和各向异性；

(2)材料的非线性性能；

(3)面板不够平整；

(4)受压面板材料的真实屈曲及屈曲后性能。

A.2.7 确定徐变系数 ϕ_t 的试验应注意下列几个方面：

(1)将试验试件延长到 2000h，可获得更精确有利的徐变系数。

(2)新形成的芯材可能更易于增加徐变，因此需要更长的试验时间。

(3)徐变试验所需要的荷载不是非常关键，在破坏荷载30%～40%的范围内，将会得到相近的结果。

A.2.8 中间支座处的皱曲应力试验模拟了双跨梁的跨中支座情况。

如试验采用的试样较短，芯材压碎可能是主要的破坏方式，这样将会得到一个保守的皱曲应力值。

A.2.9 两跨连续板的试验应注意区别中间支座处由面板屈曲、屈服或芯材压碎引起的永久变形。

端部及中间支座处的连接有一定的柔韧度，尤其是承受由风吸力和面板温差引起的上拉荷载时。这样，基于不可移动支座的计算将会过高估计由温差引起的应力。

连接体系的柔韧度及其对弯矩分布、剪力分布、变形的影响，应通过试验确定。在此类试验中，可采用前面的力学加载方式。板应有连接支撑来承担荷载，这样，连接将受到拉力作用。通过对如图 46 所示的上、下面板温差($T_1 > T_2$)的加载布置试验可获得连接件柔韧度。根据测得的支座反力，跨中、支座变形的结果可估算连接系统的柔韧性，及其对板体系应力及变形的影响。可采用一个弹簧系数来反映连接体系承受负支座反力的柔韧度。

A.2.10 支座承载力确定试验应选择 L_1、L_2、L_3 的尺寸，以便使

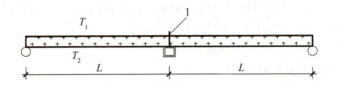

图 46 对两跨夹芯板进行温度加载来测试连接系统
柔韧度对板应力分布和反力的影响
1—中间紧固件

试样在支座处发生受压破环。

A.2.11 大多数种类的夹芯板在无保护形式下不适合作为重复步行荷载的走道或工作平台。

第 1 款适用于偶尔情况,第 2 款适用于规律性行走但不经常的情况。

A.2.12 鼓泡和芯材与钢板粘结不良、空隙、制造缺陷有关。对暴露于阳光下的深色泡沫夹芯板或承受较高相对温度的其他板有影响。

一旦鼓泡时,对泡沫制造及生产方法有争议,应进行试验。

批量生产的夹芯板往往比连续生产线制造的板更容易起泡。在连续生产后的几个月,可以通过控制拉伸粘结试验来减少鼓泡试验频率。

A.2.13 热冲击试验与设计强度无关。

A.2.15 因为是自由发泡,得到的结果与芯材的特征没有直接关系。但是能为工程师提供大量信息。

A.2.18 连接试验实际情况同试验布置不同时,为保证试验装置代表真实情况,应特别注意下列几个方面:

(1)加载类型;

(2)支撑件厚度;

(3)连接件头部和垫圈;

(4)芯材特性;

(5)面板特性；

(6)末端与边缘距离。

A.2.19 对于许多硬质泡沫,尤其是聚氨酯,考虑到孔气体与空气交换的较慢,应通过一个老化系数来增加测得的热传导性能。

对于具有良好气密性面板和边缘构造的聚氨酯夹芯板,老化系数可取10%。气密性较差的板,老化系数可取10%～50%,取决于细部构造。

A.2.20 试验结果记录的信息包括：

(1)生产日期和时间；

(2)生产方法和板制造过程中的定向(例如,哪面板位于最上层,哪些是连续发泡中的边缘等)；

(3)试验日期和时间；

(4)试验条件(温度和湿度)；

(5)加载方法和仪表装置细节；

(6)边界条件(板的个数及长度,支座宽度及细部构造,与支撑结构相连的连接件个数和细部构造)；

(7)试验中板的定向；

(8)面板性能(厚度、屈服应力、几何尺寸等)；

(9)芯材性能(密度、强度、模量等)；

(10)试验测量值(荷载、变形、温度等)。